# 如來的小百合

生活視窗27

## 一個現代通靈者的自述

伶 姬 ◎著

# 探索未知

國立中山大學教授
暨決策科學研究中心主任
著有《知識解碼》

人們對於未知的事，總有莫名的恐懼。怪的是這些未知的事，有可能是好事，也有可能是壞事，我們既不知道到來者是好還是壞，先恐懼再說，誠爲人類莫名的悲哀，無怪乎「免除恐懼的自由」需要提升到和身體、言論、宗教信仰的自由等量齊觀。於是，能夠減少恐懼，就善莫大焉，未知既是恐懼的源頭，探索未知就自然成爲人類最重要的活動之一，隨著歷史推演，時刻考驗著人的心智和行爲。

在生物進化的長河中，人類這一物種約形成於四百四十萬年前，此時開始與南猿分支，終能進化成爲智人[1]，考古學家已將各關鍵進化環節用化石貫聯起來。在近代智人的四萬年歷史中，人類發展出認知、語言、文字的能力[2]，卒能累積知識，成就當前的科技文明。展讀知識累積的過程，方知成就之不易與所需時間之漫長。十年前我們沒有網際網路，六十年前不知道原子能，一百五十年前不知道進化論，二百年前沒有蒸汽機，三百年前不知道植物有性別，五百年前不知道地球繞太陽，一千五百年前不知道地球是圓的，認爲大地是盤狀體，邊緣是大海瀑布，至於海水爲什麼不會流光，流到那裡去，都超出當時人們的知識範圍。

時至今日，對我們可見的物質宇宙、日月星辰以及地球上千萬種生物，我們已有相當的了解，知道物質從約一百五十億年前的宇宙大爆炸產生，由原子組成，原子又可細分爲各種基本粒子（夸克、輕子、膠子、弱玻子、光子、重力子……），每種粒子又都有反粒子與之對應，而組成物質之物質內結合則有四種力（強作用力、電磁力、弱作用力、重力，四種力的強度比例是$1：10^{-2}：10^{-5}：10^{-38}$）。許多粒子又可細分爲更基本的粒子，現在這個粒子動物園的成員已有好幾百個；實驗室已能模擬大爆炸發生後第三秒的狀況。但第零秒的狀況如何？零秒之前呢？這又跟一千五百年前人們問海水流到哪兒去了的困難情境一樣了。

我們最優秀的腦袋在思考這些問題，當前最有希望獲得證實的是以超弦理論爲基礎的超統一理論。超弦理論指出物質的最基本單位是一種比質子小一千萬兆倍（十的負十九次方）的「物質」，稱之爲「弦」③，它會振動，如同音符組成交響曲般組成這個物質宇宙，每一種基本粒子都代表了某種只能在特定頻率進行振動的共振形式，物質只是這種振動弦振盪所產生的和聲而已，我們對物質、形體、有形、無形、質量、能量的認識，要有革命式的轉變。從超弦理論可以推導超統一理論，統合四種力，進而解開在超微小又超高能量狀態下誕生（第零秒）的宇宙之各項秘密，更能推導出我們生存的可見世界以外還有其他宇宙的存在，此即所謂平行宇宙或多重宇宙。

物理學家指出時間與空間是十次元的，但探究我們所居住的四次元世界以外的空間，需要極大的能量（十的三十二次方度），等到我們操控能量的能力再大幅度提高之後，我們才能穿梭在不同宇宙間做時空旅行。但要在實驗室證實這個理論，需要更強大的加速器、更龐大的經費，更高的能量……有點像一千五百年前的人們，還要再等一千年才能環繞世界證實地球是圓的，時機未到，急也沒有用。但也不是毫無希望，因爲二次大戰後所累積的知識，已超越人類過去四百萬年進化過程所累積的知識，以後知識倍增的速率會愈來愈快。從能量的觀點，在九九・九九九％的人類史中，人類的文明程度只比動物稍勝一籌（能用幾匹馬拉車），直到擁有蒸汽機後，我們才有幾百匹馬力的能量，直到核能的發現，我們才有操控百萬匹馬力能量的能力。等到文明更躍進之後，超巨大能量的產生應該不再是夢想。

由於不知道的事情如此之多，人類趨吉避凶尋求自保的行為於焉出現，原始人類在嚴酷的生存競爭中，就對生、死、食物三件事特別重視，且因不能理解自然界各種莫測的變化，恐懼感促使他們將自然現象神格化作為神靈，這是原始宗教的出現。同伴被閃電殛斃，雷電就成為膜拜的對象，同樣的，日、月、星辰、木石，萬物都曾受到各種部落的神格化，祈求它們的護佑。當我們知道雷電的成因後，膜拜雷電的人就少了。粹煉下來，存留迄今的大宗教——佛、耶、道、回，都有千餘年以上的歷史，十億人以上的信衆。這四大宗教看似不同，其實都有驚人的雷同性，都有被尊為神的創教主，有祂的權威和神通；都有神祇，不論祂們的稱號是佛、菩薩、神、天使、玉皇大帝、仙、阿拉，都有天堂和地獄，都要靈修，都能獲得苦難的救贖，都有作為教條的眞理——要求人們誠實、愛人、求眞、求善、守信。學者卡西勒認為恐懼力量帶來的結果只能產生魔鬼，不能因此產生高層次的神祇，教我們去愛人、寬容、同情，因此宗教的發展才會指向提升心靈，不斷自我捨棄、超越，而非僅是恐懼大自然而已，所以消除恐懼及尋找神的本能，二者同爲產生宗教的原動力[4]。

這些作爲宗教教條的眞理，受到如此多人長久的信奉，可說很接近宇宙的眞理了，至少比「誠心去祭拜雷神就不會被雷劈」要接近得多，知識的累積也無損這些眞理的眞實性，反而應更能證實這些眞理之所以爲眞理，讓我們稱對這些宇宙眞理的了解程度爲靈性，這是人類與生俱來追求眞理的本性，靈性的需求不能滿足時，人就生活在莫名的空虛和不安中，心理無法安頓，故靈性是驅策人類科學發展的重要原動力，因爲科學的最終目的就是要查察宇宙的眞相，瞭解自我在宇宙中的地位，明白一切的眞理。我們對物質、生物、身體、心理的知識，已都有相當程度的累積，但對靈性的知識，還僅在起步的階段，所以常有「捉一隻鬼來量一量我才相信」的論點，這和對雷神的膜拜豈不類似？當我們對靈性知識足夠之後，才能論斷鬼神，就像愛因斯坦所說的：「只有深深感染著尋找眞理的精神，才能創造出科學，然而這種精神的來源，卻是出自宗教範疇。」[5]

我們終於認識了物質，再從物質產生生命，透過進化出現了人類，而人對自己的身體、心理的知識也快速累積，再往前推導，不論從物質、生物、醫學，都無可避免指向靈性，這一塊人類知識尙屬貧乏的禁地，我們習慣上還是將靈性歸爲靈異、神通、玄秘、超自然、不可思議甚或迷信的境地，但人的本性是要解決對靈性的困惑，《自然雜誌》的一篇書評就寫道：「約有半數美國民衆相信有撒旦、天使、魔鬼、超感官知覺、預知未來能力及外星人入侵地球。」⑥物理學家對於未知的世界，喜歡用譬喻來形容，在地面（二度空間）爬行的螞蟻當然難以想像我們將它提離地面再放回的「靈異」經驗；同樣在水中的魚，也難以想像水面上的世界是什麼景況，用心的一條魚會歸納出「凡有網狀物出現就會有同伴消失」，因此警告同伴須遠離網狀物，這條敏銳的魚，是否「通靈」了呢？是否「先知」？是否有「神通」？那隻騰空過的螞蟻是否經歷了「百慕達三角」的神秘失蹤？

既是多重宇宙，物質又以能量和振動的形式出現，那麼我們這個空間中，同時存在許多不同形式的生靈，應該是不難想像的，縱然同一個物質宇宙，在長達一百五十億年時間，廣達二百億光年的空間中，許許多多恆星擁有和太陽系類似的行星系統，其間有進化比人類更先進的生靈（外星人也）應亦不難理解。這些比人類更先進的生靈，或稱靈魂、意識、記憶組，必定比人類更成熟、更符合大宇宙的眞理，才會適者生存到如是神的境界。英國哲學家羅素即說：「在比較過世界各地的道德標準後，我們發現那些最成功的群體，多少都有社群福祉重於個人利益的現象。」[7]我們不能想像時時展現若干人類劣根性的生靈，能夠進化到神的境界。從人的觀點，神仙的法力宏大，如果用這些法力來掠奪、報復、迷戀，這個天使看那個天使心生歡喜，就想施個神通娶將過來，看另一個天使的宮殿甚佳，也想去佔有，那還有眞理嗎？

通靈人是訊息的捕捉者，自然想到訊息要傳遞出去，訊息不明之處，還可能加上主觀的解釋，傳遞出去後得不到他預期的效果，就不免挫折和苦惱，感覺到悲哀。資訊的傳遞是高難度的。我們常說的眼見爲眞、耳聞爲眞、白紙黑字，從傳播理論來說，都是失眞的，資訊漏失的情況隨時發生，同一事件的目擊者，所述說的故事就有太多的「羅生門」。因此通靈者接受訊息，傳遞消息，要能精確無誤，毋寧是緣木求魚的不可能任務。但宇宙深處的訊息還是產生了，期望人們能趨吉避凶，血脈源遠流長直到升爲神格的地步，這是宇宙眞理的善意和期待，人，會不會正確接受訊息，妥善因應自己面臨的難題，老實說，還要靠機運。這是爲什麼平均一個物種的存活期間是五百萬年，如果未能進化爲另一物種，就註定會絕滅。

在跨越千禧年的今天，各方報導顯示來自靈界的訊息愈來愈多，如賽斯、歐林、尹曼釵、巴夏、邁可等紛紛向人啓示心靈生命的眞貌，講述他們與天使溝通、靈魂成長的經驗，前世今生和靈魂轉世的體驗屢見於書籍、電影和電視節目。這本新著，是台灣本土通靈者伶姬女士的見證。她單純地表達自己的通靈經驗，不立價值，無懼在多元的社會中可能來到的誤解、指摘甚至歧視，忠實於她的所知，完成了自己的作品。

印度籍的統計學大師Mahalanobus對人生的觀察，他有這樣的心得，寫在四十年前出版的著作中：「人生不是完全事前確定的，因爲如果是這樣，人的努力就毫無意義；人生也不是完全不確定的，這樣人也不必作任何努力了。人生有它大致的方向，但仍保有隨機性質，讓人的努力可以使之更爲美好。」這與伶姬女士所述黑盒子內三卷錄影帶的說法，竟是如此相似，這本著作在知識累積過程中的貢獻是可以預期的。

二〇〇一年元月十三日於台北市

①《發現科學——七大科學理論及大師》，范昱峰譯（先覺出版社，一九九九年），頁二六四。
②《終極演化——人類的起源和結局》，孟祥森譯（先覺出版社，一九九九年），頁一七九。
③《穿梭超時空——十度空間科學奇航》，蔡承志等譯（商周出版，一九九九年），頁二〇四。
④《知識解碼——人類知識之數字型態》，韋端著（曉園出版社，一九九九年），頁一八二。
⑤同前書，頁一四一。
⑥同前書，頁一七九。
⑦同前書，頁一六八。

# 催生者的話

楊子敬
前任刑事警察局局長
現任潤泰集團安全總顧問

這本書是我促成的。

台灣的醫院和廟宇到處可見，健康的人很少走進醫院，像我這麼大年紀，非不得已，絕不進醫院的，就是正式的預防性健康檢查到今天也從未做過。同樣地，平時不進廟宇燒香敬佛，臨時抱佛腳的也是大有人在。

很慚愧，我的生活中並沒有「宗教信仰」，所以偵辦刑案從來只相信「科學」的存在。或許運氣好，我的伙伴高手雲集，大多的案件雖遇波折，卻能一一解決，不必要依賴科學以外的「神力」。可是我知道很多伙伴，當案情陷入膠著狀態無法突破時，會偷偷地避開衆目上廟膜拜，求助神明冀能早日破案。看在眼裡覺得無奈，但也沒有阻止過，雖然神明不能幫助你破案，但只要不沉迷，不可否認地，祂會賜給偵查人員安撫，減少壓力，不但能提振士氣，有時還可帶來破案的靈感（雖然神從來未保佑我破過案）。

萬萬未料，將屆退休之際，當了刑事警察局局長，卻爲了「破案」奉命與「通靈者」接觸。當時劉邦友命案遲遲未破，舉國關心，專案小組人員所受壓力之大，無法形容。有一天，在高階人士的介紹下，我偕同幾位伙伴上山拜訪本書作者「陳太太」。據說陳太太很靈，曾經解決過不少著名人士的煩惱事，很有名氣。在案件無法突破之下，我無法堅持「科學辦案」的信念，反正信不信由你，聽了再說。到了目的地，是一座別墅型大家族家園，氣勢非凡。

見到陳太太，覺得不像「神仙」之輩，毫無神秘感。據悉爲板橋望族，居家整潔，擺設夠水準，談吐文雅，先生爲著名公司幹部，一男二女都學音樂，是一個書香之家，心裡想她怎麼會通靈？不像、不像、不像！（後來知悉兩位都大學畢業，她還是北一女的高材生，專攻會計，擅寫、擅畫、擅書、擅唱，多才多藝，但唸何所大學？至今未聽說過。而當時是專任家庭主婦兼教育媽媽。）

了解我們的來意，她回絕說：「對不起，我是看一個人的今世與前世的因果關係，『刑案』的部分因爲菩薩沒有『執照』給我，不可能辦。」，我爲了達成任務，再三懇求，她勉強答應試試看菩薩願意不願意發執照再說。於是她打坐閉目，一會兒有了反應，嚇住了我！雖然看過乩童起乩，不過她動作之激烈，眞是令人驚顫，雙手不停自捶胸部，臉部一副痛苦狀，嘴巴叫喊著，好在她先生（不通靈）在旁扶著肩膀防止她摔倒，我實在覺得過意不去，爲什麼要讓她受苦？好在一會兒恢復正常。她開口說：「菩薩不但給了臨時執照，也讓我看到一些情況……」，於是敘述些有關案情的內容。

這是我第一次領教「靈異」的經過。當然，讀者要問，結果如何？對案情是否有益？我可以回答：警察大學爲了培養刑事人員，要花四年的時間，加上多年實務經歷，才成爲稱職的偵查人員。案件非憑空可破……。（似乎有讀者懷疑，這樣的「序」不是損了作者？不會的。）

之後，不但劉案未有進展，不久又發生白曉燕命案，陳進興等一夥橫行台北縣、市，自然專案小組所受壓力倍增，非常人所能想像。這時才發現我們的社會，通靈的人士滿多。「通靈人士」中有些拜師傳承學習、有些無師自通。陳太太就是後者，據說她在三十來歲時，突然講些菩薩如何如何的話，父母親和先生以為她中了邪，還準備送醫求治，後來才慢慢接受「通靈」的事實。她開始為困惑者服務，但嚴拒收取任何酬謝，否則一定瀉肚子。一般來說，相信「靈異」、「五術」等的人士不少，而且似乎職位越高階層，信的人不但多而且是深信不疑。這些人士或為國家前途、或為社會繁榮、或為公司發展、或為家庭圓滿、或為個人職位，凡事施行前，有時先請教這些人士指示迷津，確認後才安心，而且幾乎到達迷信的程度。這也許是人類雖然處在科學昌明環境，一旦遇到科學無法解決時，人類的思想領域自然回到「原人Human」的神權時代（我對人類思想史外行，請多指教），一切求神保佑。也或許是因為位階愈高，對國家社會所負責任愈重，遇到重大政策難免要多加考慮，求助無形的「神力」避免招致禍國殃民的憾事吧。

偵辦「白」案，陳太太也助了一臂之力，包括開導另一個陳太太（張素貞）……等，本書有一段敘述，我永遠忘不了的，記得陳太太在八十六年十一月十五日跟我提到陳進興的氣勢已盡，最慢在十一月十八、十九日之前，可以落網，否則永遠捉不到。結果，十七日擊斃高天民，翌（十八）日傍晚，桌上電話鈴響，傳來八號分機值日官急促的報告，陳進興在天母行義路挾持南非武官，台北市警方正在圍捕中。我愣了一下，當眞？當眞？（當然聯想到陳太太所言），但馬上腦海裡反應恐怕要動以「親情」，勸導陳進興棄械投降。於是，一面趕到現場，一面通知台北縣警察局請求板橋地檢署借提張素貞到現場，並懇請陳太太也在現場會合，必要時說服張素貞。這是我親自請求「靈異」協助辦案的第一次，同時也是最後的一次！

說了一大堆不像「序」的話，最重要的是這本書是如何催生的？去年十月在某著名研究機構的她說要做一篇研究報告，問我寫什麼？我毫不考慮地回答：寫妳的「靈異」生活。因爲我認爲既然社會上廣泛存在著「靈異」，外國也有預言家，而且與犯罪偵查技巧之「催眠恢復記憶」相似，更何況自古「催眠」就被認爲是與「神」溝通的唯一道路。因此透過報告，將她的「靈異生活」，公諸於世，讓大家能更進一步、正確地瞭解，所謂之「靈異」，而不至於陷入「迷信」，或許更具社會價值。

她接受了我的建議，而且以驚人的速度，陸陸續續地將草稿送給我，我看了兩、三遍（可是到此刻還不能領悟，「靈異」到底是什麼？），十二月中旬定稿。有一天她來電，要我有心理準備，因爲「聯經出版公司」答應替她出書，可能找我寫序，我因爲一來學生期末考到了要改考卷，二來根本就不懂什麼是「靈異」，無從談起，於是加以婉拒，她怎麼說？「菩薩要你寫的，不是我求你。」是耶非耶？當天「聯經」就來電徵求可否？「聯經」曾經爲我出過書，一份人情「債」，不懂「拒絕」又是我的缺點，推不了了。又過幾天，她「秀」出出版權授與契約書草稿問我如何簽？並表示「聯經」出這方面的書通常要討論好幾天，但這一本是例外，一上午就決定，我回答：「阿彌陀佛，是菩薩顯靈」。這不像序的「序」也超速度，三天之內草成，雖然「聯經」給的期限是下（二）月底之前。

勸人勿迷，卻先自迷。

二〇〇一年元月九日凌晨

失眠者　有感而發

# 自序

朋友在電話中要我寫一篇有關於靈異與科學的文章，我聽不懂他的意思，他說那是因爲我會通靈，而通靈一般是屬於比較「玄秘」的，所以希望我比較一下這兩者之間的差異。聽他這麼一說，當場把我給愣住了，沒想到交往了多年的朋友還是沒有能夠眞正地認識我。我回答：「我的通靈一點都不玄，相反的它是非常科學的。」爲此，我答應他，我會開始動筆寫下我的經驗。

九年了，通靈的日子已經滿九年了。九年來我沒有留下任何一位來者的資料。憑著記憶我記錄下我的經驗及感受，**爲的只是提供我個人的資料作爲供大家研究參考的素材**。在國外有很多這方面的研究機構，但在台灣呢？像我這種人往往只能躲在陰暗的角落，被人指指點點，無法光明正大地站在陽光下。爲什麼呢？難道說就只是因爲我們提不出任何的證據，就這樣百口莫辯，只能乖乖地接受世間人對我們的誤解。也許吧！也許這就是我們這種人的宿命吧！

不管您認爲它是極尖端的科學，或者是無聊透頂的迷信，可是對我來說，它卻是眞眞實實存在著。對一個從來不拜師不收徒弟的我，在我的背後沒有任何的負擔與包袱，所以可以很自在地與各位聊聊——我所了解的有關於我自己的通靈經驗——到底是怎麼一回事。我一字一句親筆寫完所有的初稿，再一字一句地，一邊修改一邊鍵入電腦。我不是一個會寫文章的人，所以用詞很有限，只能用口語化的字眼來表達，我只央人爲我校正錯別字和注音符號並且用本名發表，爲的就是我必須爲全部的文字負責。

〈植物人〉這一篇，我眞的沒有一句假話（其實整本書裡沒有一句假話），我知道一定會有很大的後遺症，但是我還是硬著頭皮把它給加了進來，爲什麼？在我的立場，我只是很單純地希望各位能夠用「將心比心」的觀點去照顧病人，並且稍微想一想有關「靈魂」這方面的問題。其他的各篇各位也許可以省略不看，但是請接受我誠心的建議，〈黑盒子〉與〈超級電腦〉這兩篇可千千萬萬不要錯過了，因爲這才是「天機」之所在。

感謝在爲別人服務的時候，祂們不厭其煩地教導我那麼多待人處事的道理，並且讓我瞭解到那麼多天地間的奧秘。更謝謝那些來找我算命的人，謝謝他們信得過我，願意讓我爲他們服務。在服務的時候，他們總是「強烈要求」他們不能遲到，只要他們遲到超過十分鐘，對不起！祂們就什麼訊息也不會給我，我就什麼忙也幫不了了。祂們說如果他們連「守時」、「守信」這麼淺顯的做人道理，這麼基本的禮貌要求，都不懂都做不到，那還奢談什麼「修行」呢！

有一種很複雜、卻又令我百感交集不知如何是好的經驗，說出來讓各位了解一下，也許以後祂們要我轉達的話，聽者就會多用一點心思去想想了，不再把我的話當做是神棍說的話。如果我算出來的結果並不好的時候，在正常的狀況下，我就會告訴對方如何想辦法去破解。假使對方是照著我的建議去做，那麼通常就無法知道當初祂們的預測到底是對還是不對；相反的，對方如果沒有照著建議去做，那麼，經過時間的流逝，絕大部分總會印證出來祂們當初所講的幾乎是完全正確的。

這個時候，對方再回過頭來對我說：「我現在又該怎麼辦呢？」我能夠再說些什麼呢？是苦笑？還是幸災樂禍呢？坦白說，沒有人可以理解到我那時候的心痛。我會很氣自己，氣自己的表達能力不夠，沒有辦法讓對方真正相信祂們良心的建議。唯有到了這個時候，我才願意承認，自己從來就沒有在對方的心裡佔有一點點的份量。祂們的眞心，祂們的努力，都白費了。雖然一而再，再而三地被傷害，但是，祂們還是一而再，再而三地，在繼續付出祂們的眞心，祂們的努力。

其實，我倒是常說一句話：「我寧可你們不要相信祂們所說的話，因爲只有這樣，當你們越是不相信，越是不照著祂們的建議去做，那麼就越能夠證明祂們的預測是對的，證明祂們眞的是有可能存在的。」不要說別人了，就連我自己的親人以及非常要好的朋友，也都是必須經過好幾年的翻轉，才願意稍微打開一下心門讓祂們進去片刻。這些年來，祂們不怕被誤解，被抹黑，還繼續不停地在爲世間人服務，做爲翻譯的我，也慢慢地被祂們感染了，我願意終生向祂們學習。

對我來說，通靈的日子並不是很好過，不能規劃自己的未來，只能呆呆地一日度過一日，很盡責地做個「即席翻譯」的機器而已。不用說恭維的話也不需要說恐嚇的話，就這樣很「忠厚老實」地將祂們的意思表達出來讓對方知道就行了。雖然在實質上我什麼好處也沒有得到，可是在無形的領域裡，我願意這麼說：「天啊！我眞是個天之驕女！祂們對我可眞好！謝謝祂們曾經選上了我」。

我非常有心地將自認爲是天機的東西寫了出來，也許我會因此而遭受祂們的懲罰，也許相反地，在冥冥之中，就是祂們讓我這麼做的。不管是如何，我都願意接受！畢竟我是個人，我生在這裡長在這裡，我愛上這塊土地，我實在是不忍心看到社會的紊亂是源於人心的迷失。也許我會爲了這本書而付出相當大的代價，但是我願意大聲地對祂們說：「我願意！」

就像我的小女兒（她是個很有美術創作天分，也很會思考的女孩，有這麼奇怪的媽媽，讓她變得比一般同齡的小孩成熟多了。）說的：「媽媽，你不要害怕，我們應該學會自己當自己的主人。我認爲人走的時候，應該爲自己帶走一些作品，帶回去和祂們一起欣賞，一起討論，同時也證明給自己看，告訴自己沒有白白浪費了這一生，對得起自己，也問心無愧」。

中華民國九十年一月三日

# 目次

# 通靈人的悲哀

本來，我是不想提這個問題的，偏偏這卻是一般人最容易誤解的。

我一點都沒有抗議的意思，只是幾年下來也差不多麻痺了，看了那麼多的災難預告片，我卻一點也幫不上忙，只能提前大哭一番，還能如何呢？知道了那麼多的個人因果，又怎麼樣？也不能將它們編成劇本拿去賣錢。祂們一再地叫我要隱姓埋名，生活要單純化少應酬，為了此事，先生相當不滿，告訴我的親朋好友說我得了自閉症……，是啊！我還是個人嗎？

還記得是民國八十六年的雙十節國慶，朋友打電話給我，告訴我說有一架表演的軍機摔下來了，我告訴他說：「我不擔心這個，我看到的是一架好大的客機摔下來了。」幾個月之後，華航大園空難發生了。朋友又來電話，可是我又說了：「我又看到了……。」那一陣子接二連三的空難事件，就像是「機瘟」一般，我幾乎事先都已看過預告片，每次預告片成眞的時候，各位眞的是很難想像我的心情，我只能躱在牆角哭個不停。不知情的兒子還笑著對我說：「媽媽！你一定就是那個瘟神」。

七二九大停電之前兩個鐘頭，我整個人的胸口像被什麼東西狠狠地揪住了一樣，痛得要命，正準備送去醫院急診時，恰巧停電了，因爲地下室的鐵捲門打不開而作罷。沒想到一停電我反而就好了，一夜安睡到天明，直到第二天才知道事態那麼嚴重。看預告片最嚴重的時候，連隔天才會發生的頭條社會新聞，大概都能夠模模糊糊地「事先看到」。

這種享有看預告片的特權除了讓我「提前」大哭特哭，七上八下等著看預告片成眞之外，我還能做些什麼呢？難道，我還有心情到處嚷嚷說：「我事先都已經知道了」嗎？是啊！我是事先知道沒錯，不過我也只是看到飛機摔下來而已，至於是那一天，那一家航空公司，那一班次……我一概不知。難道祂們是想訓練我「先天下之憂而憂」嗎？有這個必要嗎？

後來我實在承受不了了，我好氣祂們，也好氣我自己，我只好拜託祂們不要再折磨我了，因爲我眞的無能爲力，我沒有任何的辦法可以改變一切。從此以後，祂們不再讓我看預告片了，不過改變方式，換成送我兩個字——「災難」。八掌溪事件、高屏大橋的斷裂都是在事發前的兩、三天就出現了「災難」兩個字，還出現了地藏王菩薩。說也奇怪，九二一大地震、新航空難我倒是什麼感覺都沒有。

直到現在，我想祂們可能是想利用預告片的原理，告訴我一些有關於祂們與我們之間生存的某些原則，某些依據……，那種感覺我實在說不上來。我會好好地想一想這個問題，也許那一天，我弄淸楚了，我會再告訴各位的。

看倌！可別羡慕我！「杜鵑窩」一直離我好近好近，如果能塞得下也就算了，偏偏我還會寫自己的名字、住址……，它們嫌我還不夠資格，不讓我進去。我的情形並不是徘徊在兩個時空，而是活活地生存在多重時空之間，常常是在一口氣、一剎那之間，就已經進入了不知名的時空。稍有不愼，就眞的是不知道今夕是何夕，不知我是誰了。

到底是我拜訪了過去世界、未來世界，還是祂們來到了我的世界，這個重要嗎？對我來說，這又有什麼差別。到頭來，人生猶如一場夢，不是嗎？其實有時候更應該說人的一生只是一個畫面。多慘啊！汲汲營營了老半天，對這個大宇宙來說居然只是連續劇裡的一個畫面而已！誰會相信？我就會相信！因爲我就很會玩「看圖說故事」的遊戲。想想，一個人的一生就僅僅需要一個畫面就可以全盤道盡，悲慘吧！

通靈人除了限制比一般人多之外，還必須時時刻刻提醒自己，思想要純正、行爲要光明磊落，更必須以身作則，心口如一。這豈不是「非人」的生活嗎？是啊！只要稍不注意，懲罰就來了。祂們說一有懲罰，我才會反省自己，才會進步，如果沒有懲罰，我一定是趾高氣昂，早就走火入魔了。

對於懲罰我必須加以說明，祂們不完全是來硬的，有時候反而是用軟的，這個才更可怕。舉例來說，今天某一個人的言語或行爲，讓我覺得他好差勁，好虛僞，可是往往在第二天就會有事實證明這個人並非如此，於是就把我昨天的判斷給全部作廢掉。說淸楚一些，就是昨天我把這個人往壞的角度去想，今天就有事實證明我的想法實在太齷齪，直覺也太差勁了。這種方式，坦白說非常地令我汗顏，覺得自己好卑鄙，眞的只有用卑鄙兩個字才足以形容我汗顏的程度。幾次之後，雖然沒有斷根，但是我繼續在努力，努力去思考某些問題，對人盡量往好的方面去想，寧可我被別人誤會，也不能我去誤會別人。

想想，祂們是對的，再壞的人也絕對有他善良、可愛、純眞的一面。這種對人心態的改變，讓我的日子好過多了。是啊！「一體兩面」，爲什麼一般人就不能從好的那一面去揣測別人呢？爲什麼非要雞蛋裡挑骨頭呢？我想祂們一而再，再而三地用別人來測試我糾正我，爲了就是讓我逐漸把這種思想生活化。

一方面要我看人往好的地方想，一方面又教我面對預告片要「麻痺」，這種差異也未免太大了吧。但是祂們眞的就是這般地訓練我。當我算命時，只要對方遲到超過十分鐘，一句話，棉花店失火——免談（免彈），關於這一點，祂們教我的是要學會「狠」。不管來者是來自台東還是來自隔壁，反正遲到就是什麼訊息也收不到。就算來者一直懇求，我也眞的是愛莫能助，只有低頭向人賠不是。

相反的，如果是祂們要我傳達訊息給對方，而我卻自作聰明地把該句訊息給忍了下來不說，那也一樣，我會突然覺得喉嚨好怪，一句話也說不出來。除非我很尷尬地把忍住的那一句訊息向對方說明白，否則任憑我再怎麼道歉，祂們也不會放過我的。幾次之後，客人學乖了，我更是不敢怠慢祂們的任何一個訊息。（後來我才注意到被我忍下來的訊息往往就是對方最大的心結，如果我先講出來，那麼對方一定會覺得很驚訝，接下來我所說的自然他就聽得進去。）

天下奇聞吧！這種種的訓練難道不是通靈人的悲哀嗎？爲什麼祂們非要如此呢？因爲我必須時時刻刻做出最佳的處置方式，不能有一丁點的疏失或一丁點的拖延。看清楚，一丁點的拖延。沒錯，只要還未到絕路，祂們絕對不允許我有「放棄」的念頭。爲了不能放棄，爲了達到盡善盡美，祂們逼得我把人世間之寶——面子——給踩在腳底下。懂嗎？「**放下身段**」**絕對也是一門必修的重要課程。**

結果通靈幾年下來，我成了多面人（術語可能是人格分裂症）。還好的是，祂們對我還是有特別的照顧，如果說還有什麼不能適應的，那大概就是祂們強迫我接收的因果故事了，那是一些有關於我自己過去世的因果。那些因果故事直到現在還影響著我的生活，我實在是不知道該如何去消化它們。這不也是悲哀之一嗎？

**孤獨卻又帶點孤芳自賞，沒有一個偶像可供模仿可供參考，也沒有一個能夠眞正了解自己的朋友，偏偏又得承受別人異樣的眼光，這種的日子好過嗎？**爲人解惑時，說我是活菩薩、活神仙；當我心煩不算時，說我驕傲，說我不爲衆生著想不爲蒼生分憂。天啊！我只是一個人，一個女人而已，我還得過凡人的生活啊！我非常討厭那些把方便當隨便的人。我是義務幫忙沒有錯，但當我想休息時，老天爺放了手，世間人卻不放過我，我錯了嗎？我沒有犧牲奉獻的精神嗎？朋友爲我辯解，教我告訴別人「休息是爲了走更遠的路」。

想起來了，現在、過去也就不談了，如果經過時間證明當初我講的「未來」眞的應驗了，那麼，好的，我會替別人高興；壞的，不吉利的，我只好竊笑自己是個烏鴉嘴。也因爲這「烏鴉嘴」的封號，讓我自己不得不盡量去學習，學習避免口出惡言。至於事後證明是「不準」的，那就只好點滴在心頭了，我會想：到底是我這個翻譯者出了差錯？還是原文版本身就印錯了呢？這個問題一直困擾著我，偏偏始終是個無解的問題。就因爲不想「誤導」別人，也不願意說謊騙別人，於是不準的發生造成了我必須時時刻刻、戰戰兢兢地面對每一件事、每一個人。

想到被丟棄在地球的某一角，想要GO HOME，想要逃避，想要放棄，想要……可能嗎？一點辦法也沒有，只有一天度過一天，無法規劃明天，無法規劃未來。

既然沒有辦法改變事實，只有改變我自己的心態。我試著告訴我自己：「我的明天、我的未來、我的理想，就是努力達成祂們對我的期望。」祂們對我有什麼期望呢？我不知道，我只知道祂們隨時隨地都要求我走好每一個腳步。

# 通靈人的危險

對我而言「通靈者」只是個被異次元控制的工具而已。如果是神明菩薩主掌，那還不錯，如果是被魔鬼控制，那只好自求多福了，再加上我既不是拜師或看書學來的，也不是在特殊狀態下獲得此能力（如大病一場或車禍撞擊等），所以一點都沒有什麼了不起。「通靈」充其量只是個「義工」的工作性質而已，既非權利更不是權力，而是又苦又甜的義務。這個工具也沒什麼大不了，也只不過是個即時的解碼翻譯工具，就好像將電腦裡的程式語言變成機器語言，如此罷了！沒什麼神秘好言的。

以下所說的都不是其他書上抄襲來的也不是某一位大師的開示，完完全全是我個人的經驗，是否能轉變應用在其他的通靈者身上，我也不知道。我的目的不是要教導別人，我只是記錄下我的經驗我的心得，提供給大家做個參考而已，各位不妨就把它當做是科幻小說，看過就好。

首先必須有執照（License），通靈者必須有祂們的執照否則就成了密醫，就不能洩漏天機。當然了，執照權力的大小又牽涉到通靈者的能力，執照越高能獲得的天機也越多。換個角度來看看祂們，祂們也必須有執照才能光明正大地與通靈者聯繫搭上線。我再舉個更簡單的例子，**通靈者的執照就像是「駕照」，而祂們的執照就像是「行照」**。只要有駕照就能開車，但只要上路就必須帶著此交通工具的證明——行照。如果只有行照卻沒有駕照那豈不就是成了無照駕駛，合法嗎？再舉一個例子，開診所除了要有營業登記證，看診的醫師也還必須有醫師執照，如果沒有醫師執照那不就是密醫的行爲嗎？如果沒有營業登記證那豈不是又變成了無照營業嗎？

很清楚了吧！所以通靈越高者可以選擇他想要通（與對方搭上線）祂們之中的那一位，或是通那幾位，或者是「統統」通，也就是說決定權大部分在通靈者這邊。當然了，反過來的情形則比較多見，也就是說由祂們來決定來挑選通靈者。祂們的執照怎麼來的，我不知道；而通靈者的執照又是怎麼來的，我更是不知道。我只是了解駕照與行照的關係，我也知道我擁有駕照，但我絕對沒有那麼大的本事可以挑選祂們，因爲我只能被祂們利用而已。

了解了駕照與行照的關係才能進一步談通靈人的危險，唯有了解自己的權力才能知方寸知所進退。一般的通靈者也許未必知道自己是否有執照，這有一種很簡單的判斷方法，只要看看指點別人迷津之後是否自己會有不測或有不適，如是這樣，那麼奉勸此君以後少開尊口，不是說爲了別人犧牲自己又何妨，而是應該承認自己的修行有待加強。也許通靈的功夫眞的是一流，但一般生活上的修行好像還不足以爲人表率，所以無法拿到執照。

舉個例，就好像開車功夫一級棒，卻偏偏未達到考駕照的年齡，怎麼辦？一個字——等。在這個等的過程中就是修，讓自己修到更適合駕車的心性，除了年紀達到之外，心性也已成熟，不會開快車，不會闖紅燈，尊重行人……等等。**這就是第一個最基本的危險——會通的人未必知道自己有沒有執照，也未必知道來的祂們有沒有執照。**

如果祂們沒有執照也就表示祂們還不夠資格，就算是好心出來指點迷津也常會出差錯。當然了祂們的執照也有分別，例如有的是財經博士，有的是醫藥博士，有的是政治博士等等。如果來了一個擁有財經執照的祂們好心爲我們開藥方，你說，身爲凡夫的我們是要高興？苦笑？還是拒絕呢？總之，不要以爲通靈者什麼都行，更不要以爲祂們是萬能，如果祂們眞是萬能的話，又何須多此一舉透過通靈者呢？

再來就是通靈者會不會用對方最容易了解的語言，再依對方的個性適時地將祂們的訊息傳達給對方？否則的話，只會翻譯卻又無法用對方能夠接受的表達方式，那麼也是白費力氣。譬如說同樣一個意思，可以用鼓勵的方式也可以用激將法的方式，如何才能夠達到解惑而又能夠感動對方的表達方法，其實比會翻譯原文重要多了。另外，如果不一直吸收新知識或了解最新的社會新聞，又該如何將老天爺的訊息傳達出來，並且落實在生活上呢？（心理諮商，通常用最近的社會新聞加以舉例說明最容易讓人進入狀況，所以要會把握時機，適時向對方說明分析。）

因此，如果一個通靈者不在當今的潮流中跟著流行走，連這種最起碼的危機意識都沒有的話，那麼老天爺一定會收走他的執照。想想看，祂們是高科技的製造者，又怎會忍受得了「不長進」的通靈者呢？舉例來說，不了解環保的重要，不尊重大自然，不尊重生命……，想想夠資格做一個通靈者嗎？當然了，除了自己必須要身體力行之外，也要會引導來問事的人一起走向更有尊嚴的時代，如此才不辜負老天爺的美意。

**第三，通靈者最怕的就是通得「準」，然後被人「拱」著。**也許那只不過是偶爾幾次準確但卻已被人視為奇蹟，於是拱啊拱的，沒多久就「忘了我是誰」。一旦忘了我是誰的時候，也就是走向被淘汰的開始，如何把持得住，實在是一門非常非常難過關的關卡，偏偏世間人又愛聽美言，幾次下來陶陶然，昏了，也就完了。

一開始通靈時，我就有所警惕，不管周遭的人怎麼勸我、怎麼拜託我，我還是狠下心來對祂們說出我的決定：一不拜師、二不收徒弟、三不蓋廟、四不收錢不收禮。（當我借用朋友的店面為人服務時，我就會讓來者隨緣付費，然後將收來的錢全部交給了朋友，讓他做為付給房東的租金。）但是相對的，我要求祂們留給我自己的是自由之身，我很怕受到任何人加諸到我身上的限制，例如當我一個人時，我就很不喜歡讓人知道我要去那裡我在那裡。外人的閒言閒語對我而言根本不構成任何的威脅，因為如果我自知問心無愧，那又有啥好怕的，又有什麼不敢面對的，更何況為什麼一定要求得外人的諒解呢？

一般來說名與利是最難過的關卡，再來就是情與色了。世間人不懂這個道理，卻反而害了他們的師父，害了當初幫忙他們的通靈者，**不過通靈者自己不會拒絕也**

是一大錯誤。因此，偷偷告訴各位，如果有心有意要破解通靈者的功夫，請多美言幾句，再用名利誘惑……是否功夫仍在，一試便知。

除了世間人的誘惑之外，遠在「異域」的祂們也常常會利用同樣的方法來考考擁有駕照的「通靈者」，我們就姑且稱之爲「魔考」，我想所謂的魔考不必我再加以解釋。有一點也許較不爲人知的，我個人把它稱做是「倒考」。

我眞的是把它稱做倒考，也就是說按照一般常理應該是如此的答案，可是陷阱也就在此，它的答案卻偏偏不是如此，反而是其他的答案。除了要會說出祂們以爲正確的答案之外（有時祂們眞正的答案與一般常理所推測的剛好顚倒），祂們還要求通靈者說出爲什麼答案不一樣的理由。

說穿了，也沒什麼，也只是在「情、理、法」之間好好地想一想，想想這三個字之中，到底是那一個字應該排在第一位，那一個字應該排在最後。舉個最簡單的例子，我們總是說「勸合不勸離」，可是標準答案卻是「勸離不勸合」，並請與老天爺爭辯，據理力爭，說說爲什麼是勸離不勸合……，這眞的很難考。

不管是什麼樣的魔考，正考也罷，倒考也罷，通靈人基本上是不知道祂們那時候要考試，往往是被考完了才被通知「剛剛是在考試」。祂們說祂們也只不過是要求通靈者時時保持最佳的心智狀況，不爲人所左右，如此而已。對了，不要誤會了，考「倒考」之前，祂們絕不會告訴通靈人這是「倒考」題，難就難在這裡了。

祂們的另一個用意也只不過是要我們不要被祂們「唬」住了，祂們要我們保持清醒，那是因爲祂們也常有做錯的時候。所以千千萬萬不要「迷信」，不要「死忠」。時間久了，有些通靈人就成了很會辯論很有口才的人，因爲他們就是這樣被訓練過來的。這倒是通靈人當初沒有想到的一個特別收穫，是好？是壞？見人見智。像我這樣不是自己修來的通靈方式，就常會因辯才無礙，在說服了別人的同時，也膨脹了自己，於是危險又來了，忘了眞有本事的是「祂們」，而不是自己。

第四，一旦執照被收走了，請問通靈者自己知道嗎？也許走了菩薩來了魔鬼，通靈者知道嗎？就算他知道了，他願意拉下臉來坦誠地告訴來者：「我現在收不到訊息了！」這實在是很難出口。如果實在難出口，不妨出去走走離開一陣子，讓自己靜下來，反省一下，調適一下，也許執照又會再發下來，不過也有可能永遠不再來了。心可以坦然面對嗎？多的是通靈者度不過這一關。爲了突破這一危險，通靈者除了必須要自持甚嚴之外，還必須隨時能夠「放得開」、「捨得下」，稍傻與瀟灑必須是兼具的。

有沒有另一種的思考方式呢？也許附魔、收走執照都是來假的，都是「倒考」，祂們眞正想知道的是通靈者如何自行處理後半段，如何「安」自己的心，如何再踏出下一步重新生活，我說的還有一點道理吧！所以我說通靈者的日子，根本就不是人過的，天天戰戰兢兢，時時捫心自省，除非是嚥下了最後一口氣，否則根據我的經驗，日子沒有一刻是輕鬆的。

除了以上的有沒有執照、會不會因材施教、通不通得過魔考、以及如何自在地面對突發狀況之外，**還有一點挺重要的，那就是是否隨時隨地能讓自己「放空」進入狀況。**本事大的根本就沒有時間空間的限制，因爲人能走，祂們也能走，如果人被限制在某地，可憐的祂們也只得窩在那裡了。所以說嘛！本事大的……，說穿了，也不過是腦袋空空而已！很難想像吧！但再想想，唯有空，才能很淸楚地接收訊息，不被干擾；唯有空，速度才會快，也才不會有雜訊。

所以各位不妨注意一下，本事高的通靈者，腦袋空，口袋空，情感也空，日子是再簡單不過了，除了服務的時間外，似乎連講話都是多餘的。世間的一切好像不太容易引起他的眷戀，稍一不慎，自我了斷的念頭就會竄起，想試著追隨祂們而去，偏偏……，唉！連這自我了斷的念頭也往往是魔考、是倒考。

可憐的通靈者，別把「職業道德」給忘了，就算是什麼都「通得到」，可是到底什麼可以說，什麼不可以說，就存在一念之間了。找過我的人，應該有很多人聽過我的一句話：「這是別人家的事，與你何干，菩薩說這不關你的事，祂們說不會回答你的問題。」是的！有所爲與有所不爲，連祂們都知道該有所分寸，更何況是我們。祂們說，這麼多的危機，這麼多對通靈人的要求，爲的也只是保障世間人，祂們爲了保護世間人，只好嚴格篩選通靈人了。

祂們說：「我們有錯嗎？」

# 他們怎麼了？

對於靈異的感應，有人是會不停地打哈欠，有人不停地打嗝，有人卻像懷孕初期的婦女一般，直想嘔吐，還有人頭昏腦脹快暈了過去，更有人是比手劃腳好像要出征……。至於我呢？只是覺得耳朵內部發脹而已，就像坐飛機時起飛或下降壓力驟變所引起的不適。有時連這個也免了，就是一個念頭「有人來了」。認識久了之後，我的朋友才恍然大悟，什麼叫做「有人來了」，原來答案是「祂們來了」。當然有時也有可能是另一界，反正不是人世間這一界就是了。所以我的感應狀況，外人是不容易察覺發現的。

很多小朋友在小學之前，常常會對大人說：「我看到……，好奇怪！」這麼一來大人害怕了，因爲大人很清楚地知道小朋友看到了其他時空的東西，偏偏大人又看不到，無法證明孩子是眞的看到了還是故意在找其他的藉口，於是緊張兮兮地到處問呀問的，結果搞得孩子煩了，大人自己也累垮了，怎麼會這樣呢？

很簡單，就因爲在六歲以前小孩子的世界非常的單純，個性也天眞，如果沒有大人的教導，小小的心靈又怎會知道什麼是「莊嚴的」天主、佛祖；什麼是「可怕的」魔鬼、陰靈……，又那會知道他們看到的是另一度時空才有的人物。（不要以爲在上面的一定溫柔慈祥，在下面的一定醜陋猙獰）我自己的小孩就有這樣的經驗，那時候的我還未通靈，對這方面的事是一頭霧水，所以我可以了解到做爲父母的當他們碰到這種情形時的惶恐與無助。

第一次，老大未滿三歲，我則是懷著快出生的老三，帶著特地買的兩大袋新的冬衣，坐上計程車，準備親自送到某一山中的安養機構。傍晚時分，計程車司機在山中摸索著，還沿途問路，一顆心吊在半空中的我直想著這個司機不知道是好是壞……。（回想起來，那時的我怎麼會那麼大膽）老大突然開口了：「媽媽，我們家的菩薩在前面！」「那裡？」我望著窗外一大片的樹林，那知道這小朋友在講些什麼。「那裡啊！在車子的前面！」她用小手比著計程車前面的引擎蓋，「媽媽！祂的朋友也來了喔！祂們有三個人喔！」「媽媽！三個菩薩飛到那邊的樹上了！菩薩說，快到了！」再怎麼兇殘的司機，聽到一個未滿三歲的小孩如此一說，你說他敢怎麼樣嗎？我鬆了口氣，直想著我怎麼都沒有看到呢？

故事是這樣的，老二，一歲兩個多月了，會走路也會說簡單的兒語。一天下午，我坐在床上看書，兩個女兒就在身旁玩著。突然老大對著開著的房門很興奮地說：「來福來了！」（來福是一隻朋友養的狐狸狗，她們非常喜歡那隻狗）就只見兩個女兒的眼睛同時都從房門那邊慢慢地移動到妹妹的娃娃床邊，然後一起走了過去，蹲了下來，又同時用小手在空氣中撫摸著，口中還直說著「乖！來福乖！」「狗狗，狗狗！」知道嗎？小手離地的高度就是小狗趴在地上的高度！看倌，可想像得出來嗎？在整個臥室中，就只有我一個人成了局外者了。到底牠是靈？還是我才是靈呢？當時的我只會僵坐在床上，滿腦子的空白。一陣驚愕之後，我打電話給朋友：「你家的來福呢？」「在客廳的地上睡覺啊！」

一個夏天的黃昏，在縣立游泳池邊的看台上，那時正是清場時間，夫妻倆站在看台上正陶醉在遠方夕陽的餘暈中，一旁的老大開口了：「媽媽！你看！那裡有一個人！」我問：「在那裡？」她手指向泳池「在游泳池裡面！」天啊！又來了！我是什麼也沒看到，泳池內根本就是空空蕩蕩地一個人也沒有，一旁也有五六個人聽到我們的對話都不約而同地轉向我女兒。我再問一次「在那裡?穿什麼顏色的泳衣?」她很高興地說:「在那邊啊!」並且用手指向泳池的左方,「他穿紅色的褲子,可是手都沒有在動,腳也沒有動。」「在水底還是在水面上?」「在水上。」「男的還是女的?」「男的」……。你說嘛!我該怎麼辦嘛!我再怎麼不信邪也得爲了女兒去問專家,問所謂的靈界專家。**通靈者告訴我,不要緊張,這很正常,你不要在意就好了,孩子長大了自然而然這種能力就消失了。**好吧!姑且信一信吧!

婆婆忌日當天,女兒與我在家。正在拜拜時,她說話了:「媽媽!好奇怪喔!我看到一個白頭髮的人,長頭髮的喔,帶一個老人來我們家,那個老人是女的……」。

沒隔幾天,我請了一尊約一尺高的玉觀音(綠色的,那是我陪朋友去逛古玉店時,我突然感覺到祂要跟我回家,我無法描述那種感覺,就只是知道而已,那時我還不會通靈),第二天老大從幼稚園下課回來,很興奮地告訴我:「媽媽!媽媽!你知道嗎?今天那個新來的菩薩跟我去上課!」「妳怎麼知道?」「我坐在娃娃車上的時候就看到祂坐在我的書包上,祂說祂要和我一起去學校。」「結果呢?」她答:「我就告訴祂說我是要去上課沒有空跟祂玩,可是祂還是跟我到學校,玩了一下下，我就叫祂回家了。」我突然羨慕起她來了，對了，她又是如何與祂溝通的呢？

這時的她已是大班的小朋友了，有一天到我的小妹家，她又「表演」了：「小阿姨！你家的菩薩怎麼沒有穿鞋子呢？」這一來，引起大夥兒的興致，開始七嘴八舌地問她一大堆問題，例如：觀世音菩薩祂穿了什麼顏色的衣服？土地公到底在不在家……。我突然發現到她閉上了眼睛「看」了一會之後，才回答大人們的問題。這次之後有一陣子我們常愛問她這類問題，有一天，她煩了，很嚴肅地對我說：「媽媽，你們不要再問了好不好，我看不到了！其實是有時候看得到有時候看不到，可是如果你們一直問，我就會覺得很討厭，我就會想要騙你們。」各位注意到了沒有，隨著時間的流逝，孩子漸漸看不到另一時空的東西了。

一個假日的早上，一家人到土城的承天寺去拜拜，來到了寺裡的廣公紀念堂，「奇怪，水果師父怎麼拿了一個東西要給我呢？好像是一個盒子還用黃色的布包著。」「媽媽，水果師父長得好矮好小喔！」

最後一次，時間還挑得眞是時候，那天恰巧是我的生日，大家正興高采烈地在分蛋糕，老大很不高興地說：「媽媽，菩薩說你怎麼沒有請祂吃蛋糕呢？」當場把一夥人全給愣住了！接下來的後續動作想必各位可以清楚地知道了。從此之後，我們「被迫」只好把祂們當作家中的「成員」，家中的「一份子」。

是啊，如果有煩惱，有解決不了的事情時，才想到要找祂們商量，找祂們出主意，請祂們幫忙，那麼祂們實在是有夠可憐的了。再說有沒有供品、有沒有香火、有沒有添油錢……對祂們而言又有何差別呢？祂們根本就不需要這些東西的。試試看，下次當各位快樂、歡欣的時候，不妨告訴祂們，也讓祂們分享一下各位的喜悅，好東西要與好朋友共享，不是嗎？

再說一個笑話，去年中元普渡前，整棟大樓住戶決定在一樓大廳前一起拜拜，前一天祂們就告訴我要拜蛋糕，千記萬記我還是把它給忘了。普渡那天，匆匆忙忙將祭品拿到樓下，就在供桌前與一位住戶擦身而過，他手上提著一個圓形的生日蛋糕，唉呀！我整個人回神了過來，趕快去買了兩條長形蛋糕回來拜拜（本來是要買圓形的，但是怕太招搖太引人注目）。

我相信我的蛋糕一定不夠分配，一定是被搶著吃。放眼望去，不是汽水、果汁，就是泡麵、牲禮、餅乾、米等。是啊！這麼多年了，大家都拜一樣的，一成不變。當我們從切仔麵、魯肉飯吃到披薩、麥當勞時，爲什麼就不能讓祂們也換換口味呢？（很多人看到我拿蕃石榴上供桌時都好心地警告我說這是不禮貌的，這時我會很開心地回答對方，就因爲到處吃不到，所以愛吃芭樂的菩薩只好拚命往我家跑，所以我就通靈了。博君一笑。）

沒辦法，這就是做父母的心態，只要講到兒女就不知收口，對不起！浪費了一些篇幅。女兒看不到之後，我通靈了。市面上有關這方面的書我看不懂，有的沒有的五術更別提了；至於佛經，我不認識它們，它們也早已忘了我；再說打坐嘛，兩個字可以替代——「打睡」……後來結識了兩位通靈的朋友，因爲我沒有師父也沒有收徒弟，所以可以海闊天空地高談闊論，與人交換心得，互相切磋改進，不怕被任何一位師父罵，也不怕被任何一個徒弟拋棄，非常自在。

本來的我根本就不可能相信祂們，但是祂們卻藉由孩子的口說出了祂們的存在，孩子是我自己一手帶大的，那麼小的年紀，有沒有說謊，我很清楚。這是我陪孩子成長過程中一個非常非常特別的經驗，我很仔細地一一寫出來，爲的就是讓那些有相同困擾的父母們做一個參考，放心一下。**孩子們的確是比我們想像中的還「美麗」多了，應該是我們向他們學習才是，他們似乎天生就知道，在這個宇宙中的任何「東西」都可以和平地共處，不是嗎？**

等到自己通靈之後，才知道很多的「大人」也有這方面的問題，最嚴重的時候，我一個星期可以接觸到三個例子，都是一般人所謂的「精神出了狀況」。這個現象才讓我注意到，可能有一些應該是正常的人被誤解了。就像我一樣，剛開始的時候，先生也是一直要我去看心理醫生，或是去找佛教界的大師談一談……。只是我清清楚楚地知道我很正常，所以我只有強迫自己閉上嘴巴，狠狠地不理任何人，靜靜地讓自己一個人熬過去。

那時候的我，在難過時只能拿出紙筆，在紙上問祂們問題，然後請祂們附在我身上直接在紙上作答。（當祂們附在我身上用筆直接作答時，我寫字的速度好快好快，一直寫一直寫，根本就不需要休息也不會覺得累，往往是等到全部都寫完了，停下筆回過頭重新看時，我才知道祂們到底是要告訴我什麼，祂們總是勸我要忍耐，要忍耐。）甚至到了現在，我只要身體不舒服到了醫院，告訴醫生說我會通靈，那麼等一會就會多了一個醫生一起來會診，不多不少，就是多了一個精神科的心理醫生而已。

我所碰到的這種例子年紀大大小小都有，有的是聽到聲音，有的是看到影像，有的是控制不了自己的行爲，有的是覺得有人在跟蹤他，要害他，有的想跳樓自殺，有的想殺人……。坦白說，對這些人我覺得好心酸也好心疼，我總是在他們身上看到我自己。

上面說的，一個星期出現三個例子，眞的是很特別，實在是因爲時間太接近了，所以我記得特別清楚。通常我在爲人服務的時候，很不喜歡別人先開口告訴我他來找我的目地，所以這三個例子完全是我自己先從他們過去世的「因果」故事中，得知主角「應該會有」精神上的問題後，我試著委婉地告訴對方，主角可能在精神方面會有某一類的特殊行爲……，對方承認之後，並且表明就是爲了此事而來找我。

如果是因爲因果上的原因而致病，那麼當它開始的時侯比較不會引起周遭人的注意，也就是說往往是突然之間就變了一個人，很難令人相信。旁人通常會以爲他是中了邪或者是入魔了，因此就採用民俗療法，例如收驚、驅邪等等，而延誤了就醫的時間，相對的也就比較不容易復原。而這種人精神異狀發作的對象，往往只是針對家中某一兩個特定的親人而已，也就是因果故事中的特定人選。

這種例子的出現，除了讓我不得不接受因果的存在之外，我也只能請來人繼續讓患者接受醫生的治療，並且勸因果故事中其他的當事人靜下心來好好地想一想，是否能夠試著改變一下自己的心態，試著心甘情願地去接受老天爺的安排，好好照顧患者。這實在是很殘酷的事實，可是我眞的是幫不了任何的忙。唯一能改變的就是縮短它的時間，怎麼做呢？那就是在一開始的時候，不去理會到底是不是因果的原因，就只是無怨無悔地去照顧他們就是了。

**這當中也有一種相當奇怪的特例，就是當事人與患者之間並沒有因果的問題，而是在轉世的過程中，他選擇把照顧患者當做是一種修行、一種魔考、一種志業。**對於這種人我在此致上十二萬分的敬意。在現實的社會中，我們的四周不就是充滿了許許多多這樣可敬可愛「發大願」的小人物嗎？所以如果您身邊有必須要照顧的患者，不管他得的是什麼病，我給您一個良心的建議：**不需要去知道過去世的因果是什麼，因爲您就是那一位接受我致意的修行者。**

絕大多數的病患，眞的是生病了，那些人我一點都幫不了忙，因爲我根本就不是醫生，所以除了建議他們去看醫生之外，還是看醫生。

一般世人說陰陽眼，說天眼，我不知道這有何差別；又有人說他心通、耳通、鼻通……我也不知道指的是什麼。我只知道當我接收訊息時，有時要閉上眼睛，就是很自然地閉上，有時畫面就在眼前晃呀晃的，根本就不需要閉眼。至於畫面嘛，靜止的、動態的、連續性的都有，有黑白的也有彩色的，所有的這些現象都不是清清楚楚的，而是一種模糊的感覺。有時看到的是字，有時是聽到聲音，這種情形比較少，而且也都只是幾個字，一兩個聲音而已。

我不知道爲什麼從一開始我就知道該怎麼收訊息、該怎麼解釋訊息，說穿了，訊息是自然來到的，而我也只是很自然的知道祂們想要表達的是什麼意思而已。速度非常快，就像是我自己的想法一樣，根本就不需要經過任何的思考過程，源源不絕地就講了出來。所以我才會說我只不過是一個即席翻譯罷了，那個翻譯的機器大概就存在我的大腦裡，別人摸不著也偷不走。結論是：難怪我的頭會比一般人的大，嗯，我想一定也比較重，不然游泳學換氣的時候，爲什麼我的頭老是抬不起來。

還有一些人，就像我了，也許能看到，能聽到，能聞到，能感覺得到，甚至於在睡夢中還會有師父千里迢迢地前來教他唸書、教他功夫……。可是就因爲他是大人了，所以只要他出口說些較不合常理的話時，周遭的人自然就把他歸入「精神有問題」這一邊了。小孩子是純真、自然，那麼大人們又是怎麼一回事呢？

我也有一些朋友從小就看得到、聽得到其他「界」的東西，但是因爲大人不知道，也沒有說，所以他們從不認爲自己和別人有什麼不一樣，還以爲大家都是這個樣子。不過這些人卻一直保持著「看得到」「聽得到」等的狀態，直到青少年的階段時，因爲接觸到有關這一方面的書本，喔！他們才恍然大悟，才知道自己居然和常人差了這麼的多。既然揮之不去，有人就習以爲常，處之泰然，不加以理會；有人卻因爲常受到干擾而覺得煩躁，甚至因而致病。

另有一些人，則老是看到某些相同的畫面，這又有點不同了。一般來說，如果常會看到相同且讓人覺得不舒服的畫面時，有可能是過去世的所做所爲太過於「震撼性」，事後他自己覺得良心不安甚至於害怕，於是在轉世的過程中，這種精神的折磨也跟著帶來了，自己強迫自己把它給帶來了，變成了另一種形式的因果病。

有一位高中生（女生）的媽媽來找我，就是爲了她的女兒最近老是「聽到」有人在跟她講話而心慌，學校方面也擔心學生會出狀況而建議她休學。我請這位媽媽帶著她的女兒來見我。我告訴這位小女生：「看看，我不也跟妳一樣嗎？我還比你更嚴重呢！只是妳的生活中很不容易見到我們這種人，所以妳會緊張會害怕……」。

對於這一類的人，家人往往是給與他們最多幫助的人，但是也往往是傷害他們最厲害的人，所以不要先否定他們所說的內容，唯有先耐心聽完他們所說的，我們才能根據狀況加以輔導。要有一個重要的認知——「天地之大，無奇不有」——（不妨打開電視機看看Discovery頻道、國家地理頻道，相信看過的人一定會很訝異，眞的是天地之大無奇不有。）不要因爲我們聽不到就認定別人也一定聽不到。

另外我個人還有一個疑問，那就是這種人一剛開始需要吃藥嗎？吃一般所謂精神疾病方面的藥嗎？是不是會造成了什麼後遺症或反效果呢？因爲他們通常會認爲他們並沒有生病，所以拒絕吃藥，如果強迫他們吃藥，他們就會以爲你是要下藥害他，反而引起更大的反彈。我個人是這麼覺得的，應該帶他們去和有類似相同狀況的人談一談，讓他們知道並不是只有他一個人是這樣的，他並不孤單，家人也要試著去了解一下。當然了我也不敢否認，坊間的確存在著太多惡意行騙的通靈者。

在此我也誠心誠意地建議，有關於這一方面的醫生，是否能夠稍微拋開成見，試著去接觸一些通靈方面的人、事、物，或許對您的行醫會有很大的幫助，當然了，相信最大的受益者自然是你我共同關心的患者了。

以上純屬我個人的看法，不過請特別注意一點，那就是不管是不是因果的關係，或者是在這一世眞的有病了，或者是「會通靈」的一種前期現象……。無論如何，一定要盡早就醫或找人商量，不要覺得沒面子或覺得是家門的不幸，也許他是個修行很高的人來轉世也說不定。不管怎麼說，我總是希望在剛開始的時候，就有人願意拉他一把，助他一臂之力，這種觀念如果能夠擴散出去，相信杜鵑窩裡會少了許多人。

切記！時間是很寶貴的，一旦拖久了，就眞的會變成精神方面的疾病。我再強調一次，千千萬萬不要拖，也許剛開始，我們只要很簡單地打開他的心結，給他一個稍微能夠令他滿意的答案，他就走出來了，就正常了。但是一旦拖久了，他眞的就進入他自己的象牙塔內，任憑我們多努力，誰也都沒有辦法再把他拉出來了。這麼一來社會上又多了一個不定時炸彈。

*老大（高一）在看這一篇的時候，好開心。她對著家人說著：「我還記得好多的畫面（奇怪，她怎麼也用這種字眼呢？），那隻小狗我記得是白色的狐狸狗，那一天太陽光還從旁邊的窗戶斜斜地照進來，我跟妹妹蹲著，媽媽坐在旁邊。那個在我書包上的小菩薩我也記得。」我問她：「那個時候，你是怎麼跟菩薩溝通的？」她說：「我就小小聲地跟祂講，我要上課，你趕快回家。」先生問她：「水果師父給你的包包，裡面是什麼東西？」「我

也不知道，我沒有把它打開，我記得他是從他坐的那張椅子後面走出來的。」「游泳池的事，我也記得，對了，我很生氣跟你說我看不到的那一次，我們剛好是在外婆家」。

我比較訝異的是，那麼小的孩子，經過了那麼久的時間，記憶依然沒有褪色。

# 祂們的不同

有的人說佛比人多，又有人說觀世音菩薩只有一尊，阿彌陀佛也只有一尊……，更多的人告訴我，不能說一「個」觀世音菩薩，要說一「尊」觀世音菩薩……。到底祂們怎麼了呢？以下所論述的純粹只是代表我個人的看法，並不牽涉到任何經書或任何的派別，（因爲我實在是看不懂經書，也完全沒有歸依拜師）純粹只是通靈九年來我自己分析歸納出來的淺見。

不要太過嚴肅地批判我，也不需要恭維我，各位，暫且就輕輕鬆鬆地把這一章當做是另一類的科幻小說就行了。倪匡的科幻小說不是很暢銷嗎？我常鼓勵年輕人看，看了他的書之後，可以增加自己的想像空間，眼界寬了，日子也就跟著有趣多了。說不定也有人在看了我的書之後，覺得還滿有意思的呢！

馬上進入正題，我們是否可以把阿彌陀佛、觀世音菩薩、媽祖、關公……等等「稱呼」，看成是個Title，是一種頭銜呢？也許我們可以再說清楚一些，就把這些稱呼當做是「職務範圍」的認定。怎麼說呢？例如，我們可以假設阿彌陀佛這個稱呼的，是負責外交的事務；觀世音菩薩這個稱呼的，是負責內政的；稱呼媽祖的，祂的工作就是負責醫療衛生；稱呼關公的，祂的工作職權是有關於警政事務的……。那麼，管教育的，就有教育部長、教育次長、教育廳長、教育局長等不同的層級，當然了，不同的層級各自所管轄的業務範圍也絕對會有所不同。

好了，到這裡，這個舉例可以接受嗎？如果可以的話，那麼一般所說的第幾天第幾天的菩薩，是不是就可以把它當做是不同層級的主管（就好像行政體系裡的第幾職等）呢？如此說來，那麼越居高天的菩薩不就等於是越高職等的官員嗎？對於「祂們的資格」，評審的態度一定是更謹慎，審核的標準也一定是更嚴苛，而授予祂們的職權與範圍也相對地會更高更廣，不是嗎？

再放大一點來舉例，假設我們就把釋迦牟尼佛這個稱呼當做是「總統」這個職權的頭銜，這麼說來，在地球上不就有好幾個釋迦牟尼佛了嗎？是啊！只不過好像是同樣的一句話，但是由美國總統口中說出來的就會比台灣總統說的更具有說服力，而台灣總統說的又比非洲小國總統說的更有份量……。簡單吧！也許我們還可以把五路財神想像成是監管股票市場的官員，而土地公是管理地政事務的……。

也許您會問我，那麼這麼說來，關公一定就是管警政的，媽祖一定就是管醫療的，……未必吧。就像我是學會計的，可是我又會通靈，又很會帶小孩，又會做蛋糕……，那麼雖然我目前做的是通靈的服務，但是我依然可以爲別人解答會計上的問題，或者是談一談照顧小孩時的切身問題……也就是說，我懂得越多，我可以爲人服務的項目也就越多。這個時候，我眞正的頭銜是什麼已經不重要了。

懂嗎？可以接受嗎？不需要把祂們想得高高在上、神聖無比，也許只不過祂們眞的是比我們住得高一點罷了。人世間有行政體系，難道祂們沒有嗎？世間人可以身兼數職，難道祂們不行嗎？那麼多的ＥＴ電影，難道無法帶給各位一點點的想像空間，一點點的啓示嗎？人世間有冒充法官的，冒充警察，冒充醫生，冒充好人的……，難道祂們都沒有嗎？也許也是有，只是沒有那麼嚴重而已。就好像好的明星學校未必沒有壞學生，而名聲不佳的學校想必也一定有品行一級棒的孩子。

常會有人在算命完後，很自豪地說：「**那個算命的說我是×××菩薩轉世。**」看倌！下次再碰到這種人的時候，先起個問號「？」。眼前的這個人是乘願再來的眞修行者呢？還是抽空到人世間一遊呢？還是來出差的呢？也許以上的答案都不是，原來他是在上面做錯了事而被貶下凡來的。如果眞是這樣，那麼請問一下，一個在動物界因爲修行好而轉世投胎變成人的「人」，和一個在菩薩界因爲被貶降而轉世投胎變成人的「人」，那一個人才有資格值得自豪呢？

但是，問題來了，如果菩薩眞有層級的差別，又有工作職掌的區別，那麼我們該怎麼「拜」呢？該怎麼「求」祂們幫忙呢？講到這一點又得釐清一個觀念，那就是，不是每個寺廟供奉的佛祖菩薩都是同一尊。怎麼說呢？舉個例，假設有十個層級的觀世音菩薩，也許第一級的駐守在萬華的龍山寺，第二級的駐守在你家，第三級的負責高雄的某某寺……，第八級的卻必須定時到南投埔里的三間寺廟去巡守去簽到，第九級的則被分派到我家，第十級……。所以，看得出來嗎？也許你家供奉的菩薩功力比大寺廟的菩薩強多了。

當然另一個理論，也有可能是某些「外表」是菩薩的形狀，而「內在」根本就沒有入神。談到「入神」與否，據我所了解，通常來人世間服務的菩薩不是奉令被指派來的，就是屬於自動來服務的（牽涉到執照的限制）。就好像人世間國中國小的老師到底要到那一個學校去服務一樣，除了有些是教育單位指派，還有的是自動申請，有的還須經過教評會篩選，偏遠地區的則可能是一些有心的教師自願前往，實在找不到老師的就只好找代課老師來偏勞了。至於想到高中、大學、研究所去任職，那麼教師的資格自然要相對地提高。譬如想到北一女中去教書，如果沒有兩把刷子，各位您以爲這位老師日子會好過嗎？

也許我們可以很大膽的假設甚至於確信，在祂們的國度裡，一定也擁有很完整的行政體系，那麼站在祂們的立場，到底該如何決定或指派那一層次的那一位菩薩來駐守人世間呢？想一想，就好像警政署署長該用何種衡量的標準來決定保一大隊，保二大隊……，刑事局，甚至於各縣市警察局內不同單位的不同人選呢？又好像教育局該如何決定各地方各級學校的校長人選呢？**我所了解的是，祂們絕大部分是根據人世間「要恭請菩薩」的那一位當事人，他的修行高低而定，絕不是依我們世間人一般所想像的標準而做的定奪。**我總覺得祂們的標準跟我們所想的實在是有相當大的差異。

有那些差異呢？舉個例，沒有經過安神的手續，一定就沒有入神了嗎？未必！也許祂們覺得這個人的確修得不錯，值得祂們來爲他服務，這時候就成了「不請自來的菩薩」；有些是祂們早就自行入神了，只等待有緣人來請祂們回家。甚至於沒有固定的實體形像讓祂們依附，祂們照樣進得門來，幫助那些值得幫助的人。相信我，祂們無所不在，就看我們有沒有那個本事吸引祂們的注意力。

有一件事困擾我很久了，那就是我很喜歡欣賞佛像，卻老是遇到那種要跟我回家的祂們，我那有那麼多的錢請祂們來我家呢？各位不曉得有沒有注意到，爲什麼佛像的文物通常都是不便宜的呢？爲此，我不再逛有關的店鋪行號。後來，想到一招，乾脆自己畫，好不好看、像不像，都不重要，如果祂們眞要跟著我，那麼就請祂們自己搬家，搬「進」我畫的畫像裡面去，我一定會很樂意地「拜」祂們的。（作者簡介圖片就是我模仿古代木雕畫菩薩的情形，這一幅畫現在掛在朋友的咖啡店裡。）

同樣的，請大師級的師父來執行安神的手續，菩薩未必就一定願意來入神。就算該位大師的功力實在是高強，菩薩被強迫來服務（這種情形少有），如果當事者不行正，不行善，相信過沒多久，祂們也會回去抗議，不再回來爲「祂們的主人」服務的。一樣的道理，名正言順地被指派而來的菩薩，如果當事人越來越不上道，祂們也可以申請調到其他的服務單位。相反的，如果當事人越來越精進，祂們也會衡量自己的能力，請示上面是否須要另外再派一位更棒更高層級的菩薩來換班。

所以奉勸各位！不要以爲經過了「安神」的手續，就天下太平了，就以爲往後的日子，有願有求，有求有靈。這眞的是大錯特錯了！別忘了，像人世間一樣，祂們也有專門負責到各處稽查的菩薩們，這些個「祂們」專門記錄以及考核被派下來的或自願下來的另一組「祂們」。很複雜吧？不會的！很簡單就能夠把祂們區別清楚，只要把祂們想成是督察長，監察委員……等就很容易了解了。

啊！趕快再回到正題吧！如何求祂們保佑呢？如果家中有供奉菩薩，就向自家的菩薩求，**如果實在是太緊急了，那麼就「就地」求祂們幫忙**，因爲只是我們看不到祂們，祂們未必看不到我們，更何況過往的諸佛菩薩那麼多，只要是你行得正，做得正，祂們絕對不會袖手旁觀的，相信我，祂們通常都是很雞婆的。就地誠心誠意，虔誠地默唸，求祂們幫你的忙。

想一想，就像我們凡人一樣，在路上走著，忽然碰到別人有危急的狀況發生，而我們又幫得了忙，這時候，我們不也會伸出援手嗎？至於各位如果問我：「那麼，你知道台灣的寺廟，那幾間寺廟的菩薩比較靈呢？」對不起！我很少到寺廟去拜拜，所以答案是：「我實在是不知道！」更何況，若根據我的理論，駐守在任何一處的菩薩也常會有變動的時候，我該怎麼回答您的問題呢？**我只是覺得，爲什麼**

非要知道祂們的世界那麼多呢?我好像不太認識別人眼中的祂們，我認識的祂們就跟凡人一樣，有喜怒哀樂，很平凡;就像家人一般，可以訴苦，可以爭辯，可以聊天……。

說一個比較有趣點的，有時候世間人實在是很喜歡和祂們溝通，可是卻又無法通靈，於是就用擲筊的方式來猜測祂們的意思。我不是反對擲筊，而是我要告訴各位一點點的「訣竅」。首先先上香，告訴祂們你想要問的問題，然後再告訴祂們五分鐘之後，你再擲筊請示答案。等過了五分鐘之後，你就可以跪著擲筊了。爲什麼?有沒有人願意猜猜看?對了!祂們也許出去辦事了，也許回上面去一趟，也許找左鄰右舍的同類聊天去了。

就像世間人一樣，誰規定祂們一定就得被「人」罰站或罰坐在「一個桌子」上呢?祂們只要留下了「答錄機」，然後再隨身攜帶了接收器……，總得給祂們一點點的時間趕回來吧!另外也得給祂們一些時間去查查你所需要的資料，或開會決定應該如何給你指示……。我的這套理論，還合情合理吧!記得，下次，尊重祂們一下，不要讓祂們趕得汗流浹背，也許，祂們正在闔眼休息呢!

姑且相信我一次吧!不要捨近求遠，祂們既然被奉派或自願來保護你，那麼祂們就負有責任。就像是家庭醫師一樣，如果需要轉診，祂們也會建議你轉去那家醫院，或找那一個醫生幫忙。**一個重點，就是祂們絕對是「以服務爲目的」的**，如果家中的祂幫不了您的忙，我相信，祂也一定會請祂的主管或祂的親朋好友一起來想想辦法。人世間有許許多多很熱心而又願意付出的人不也是擁有這般的心態嗎？有時候，這些人做起事來，還眞比當事人賣力多了。

**但是請記住非常重要的原則就是——不是心誠則靈，而是心正則靈——。行得正，做得正的人，不管他走到那裡，總是會有很多很雞婆的祂們願意共襄盛舉。**所以不要對祂們有分別心，不要在乎你家的菩薩是第幾層第幾天，你在修，祂也在修，你做得好，祂與有榮焉，你做得不好，祂更是逃不掉。就像是奧運比賽得到獎牌的選手一樣，選手與教練都可以拿到獎金，懂嗎？祂們的確是與您「有福同享，有難同當」、「榮辱與共」的親密室友。

再來說一個「天方夜譚」，有沒有人想過，也許阿拉就是基督就是釋迦牟尼佛就是……，瑪麗亞就是觀世音菩薩就是……，怎麼說呢？舉個例，假設你被派往非洲當大使，因爲「入境隨俗」的關係，而與當地人打成一片，因此外交工作做得非常好。當你被調走的時候，當地人爲了紀念你，將你做成雕像，那是穿著非洲酋長服的雕像。回國一陣子，又被派往夏威夷，一樣地，留下了你穿著花花綠綠夏威夷衫的雕像。接著回國休息沒多久，又出發了，這回是到了日本，留下了穿著和服的你……。

結果，好多地方陸續地留下了不同裝扮的你，身材有胖有瘦，頭髮樣式也不同，說不定有的還留有鬍子，身旁還跟著一大堆的人呢！經過另一個文明之後，已無從查考了，於是各地的人出現了種種不同的解讀……。其實，仔細看看，追根究底，才發覺到沒有什麼了不起，只不過是同一個人穿著不同的衣服罷了。

眞的，這一則絕對不是開玩笑的天方夜譚，其實它是必須經過深思熟慮的，如果我再把它套用在「因果」上，那麼就更好發揮了。你問我：「請問，我前世是做什麼的呢？」我到底應該要怎麼回答你的問題才算是正確的呢？我們就用上面的例子繼續說明下去好了。假設你就是那一個外交官，好，你問我你的前世是做什麼的，我可以這麼回答：「你前世是一個外交官。」，但是我自己不會滿意祂們這樣子的回答方式，我覺得就這麼籠統的一語帶過，似乎太對不起對方了。

我會反問你：「你到底是想知道你和那一個人的因果呢？」因爲當有了對應的人選，那麼答案未必一定是在前一世，就算是前一世好了，那也必須去查出在前一世裡到底是發生了什麼事，才會讓你跟這個人一起來轉世，並且互相認識。也許查出來還說不定是有好幾世的因果關係呢！

所以，不要輕易地受騙了，不要傻傻地問這個問題：「請問我前一世是做什麼的呢？」如果我回答你：「你是一個作家。」也許你會反駁我說：「奇怪了，怎麼另一個通靈的說我前世是一個外交官呢？」是啊！怎麼會不一樣了呢？我可以告訴你：「當你在五十歲以前你是個外交官沒錯，但是退休後，你專心寫作出書，把當外交官時的見聞記錄下來。可是我想告訴你的是你和你太太之間的因果，而你就是在當作家的時候與你這一世裡的太太發生了一些瓜葛，在那一世裡，她的身分是你的哥哥，大約在你六十歲的時候，有一次……，所以這一世老天爺讓你哥哥來做你的太太。」

我這樣子的說明，各位懂嗎？再說遠一點的，如果有人一生之中換了好多種行業（目前這種現象太多了），那麼通靈的人該怎麼回答你的問題呢？這個就有點像前面我所提的「有人告訴我，我是菩薩來轉世的。」我該恭喜你呢？還是耐著性子花點時間慢慢解釋給你聽呢？這麼多年來，這樣子的推理論調，我已經講給太多人聽了，可是問的人還是一個接一個，說久了，我自己也開始覺得心煩了，但願出書解釋的效果會清楚一些速度也會快一點。

我還要再加一點注意事項，請不要用分別心看待祂們，不要以爲自己拜釋迦牟尼佛拜觀世音菩薩……才是對的，才是正信的，不要以爲別人拜的王爺、媽祖……都是錯的、是迷信的、是落伍的。用「老師」來舉例吧！大學教授很高竿很有學問吧，不妨請他去教幼稚園裡小小班的小朋友看看！大概他只有一個動作「抱著頭殼發燒」。你再請幼稚園裡的老師去教大學生、研究生，答案大概也差不到那裡去。所以很明顯的這其中的差別，不是高低之分，而是各自扮演自己的角色，各司其責而已。

**老天爺把祂們分配到各個層面，只是爲了應付各式各樣人的需求而已。**如果沒有幼稚園的老師蹲下來，用他們的大手牽著孩子們的小小手開始，又怎麼會有後來的大學生、研究生呢？不妨再到百貨公司走走看看，你會發現有好多的衣服實在是好土好俗，但是也有很多是很高尙很雅淑的……，對不起！這只是你個人的觀點，也許別人就有和你完全不同的審美觀。隨著年齡、性別、個性、職業、金錢觀……等等的差異，我相信答案一定會是個很有趣的組合。如果再加上身材的限制，購買的經濟能力，那麼買回家穿上身的未必就是當事人最欣賞的那一件。

再拿水果來比喻吧，有的人視榴槤爲上品，有的人則是避之唯恐不及；有的人愛吃軟的水果，有的人選擇硬的；有的愛吃酸的，有的挑甜的……，所以市面上的水果攤才會擺著很多種的水果，那絕對不會是賣水果的人愛吃，而是他爲了要賺錢，要吸引顧客，只好擺出那麼多種的水果，以便應付那麼多不同口味的客人。因此，不要以爲別人供奉的「祂們」不及自己的好，眞的！修行乃是隨機隨緣，如果「修行」修到如此的有「分別心」，那麼豈不是有些偏了嗎？多可惜！

祂們就是如此的細心，細心到安排這麼多「種」的祂們來面對我們，讓我們自己根據自己的口味去挑選，但是，請小心！我們也有可能帶壞了祂們。別忘了一句老話，「心正則靈，有緣大家一起修。」還有，祂們存在各處，最常在的地方，就是在我們的心我們的腦，外在的形像對祂們而言，一點意義也沒有。「佛在我心中」雖是一句老生常談，但是我對它卻是「深信不疑」。

# 看病與收驚

我有兩個通靈的朋友，一個主要的工作是幫人「看病」，一個是「算命」，至於我呢?我的工作也比較偏向於算命。三個人都會通靈，但是所走的路線卻不太一樣，這就像我在〈通靈的危險〉那一章中所說的「駕照」與「行照」的關係和限制。**三個臭皮匠隸屬於三個族群，一個是客家人，一個是原住民，我則是台灣人，人家說同行相忌，而我們不但是族群融和並且還是同行相扶持呢。**

我一再地強調，我所寫的全部都是我的經驗，絕沒有危言聳聽或想要妖言惑衆，爲的只是提出來供有心人士做爲參考的素材，這一章也不例外。(我常有一個很天眞很樂觀的想法，假想著如果在每個領域，大家都能夠拋棄成見，捐出自己的秘方，一起來研討改進，那麼不用多久，這個社會一定就會是個大同世界。多好！）

專攻「看病」的那位朋友，當患者來到他面前，他的身體就像複印的機器一般，對方身上所有的病痛他也一模一樣的完全感受得到。如果來者咳得不停，可憐的他，也只好奉陪到底；如果來者是腰酸背痛，那他也只好挺著腰酸背痛的身體幫對方看「腰酸背痛」的病了……。他最常說的「笑話」就是：「我最怕來找我的人是患有婦女病的女人，雖然我沒有子宮沒有卵巢……，但是我照樣會很痛，很不舒服。」所以說嘛，通靈人的日子，又豈是常人所能了解的。至於他看病的方法，感覺上有一點點像是在用氣功幫對方治療。

另一個「算命」的通靈朋友，如果患者經過她身邊，她就可能聞到不好聞的味道，或者閉起眼，看到對方的某些病因。我是最差勁的了，既聞不到味道，看不到病因，也感受不到對方的痛苦。偏偏一剛開始通靈的時候，我卻是幫別人看病的。說來話長，不過畢竟那也是一種經驗，還是值得寫出來。

怎麼開始的呢？請注意我這一方面過程和想法的改變。來者主要是請我幫他算命的，只是順口問我他的身體狀況如何，這個時候，我閉起眼，自然就有訊息讓我知道對方的身體狀況。當然了，我一定是照實說出來，（通常我不會去想我到底能不能猜對，我說過我只是個翻譯機器。）而怪就怪在這裡了，十次中大概有七、八次會猜對，而錯誤的二三人中又常常發生怪事，也就是過了不久之後，此人眞的患了我所說的病症。（我絕對不騙各位，我眞的是一個大烏鴉嘴。）

那時候也眞的是太不懂事了，當對方說：「那要怎麼辦呢？」我常常就會說：「我幫你試試看！」於是就動起手來了。一下子按摩，一下子搥搥打打的，一下子又好像是在灌氣，一下子又指壓……。從一開始我就是一直很誠實地告訴對方，我眞的一點都不知道我到底在爲他做什麼，因爲我自己是一點感覺都沒有。可是妙也妙在這裏，對方往往會說：「你手經過的地方，我眞的能夠感覺到有熱氣……。」在我的立場，我就只是把我自己的身體借給祂們而已，完全由祂們自行發揮，要「治療」多久，全由祂們作主，我根本就只是個替身，是個傀儡而已。

我的手在用力地「動」，而我的嘴巴也沒閒著，一邊和旁人聊天論因果，這倒是個很奇怪的畫面。在一旁的人常常會心疼地問我：「陳太太，你要不要先休息一下呢？你不會累嗎？手不會痛嗎？我看你的手都紅了。」我總是笑嘻嘻地答：「你看我有在喘嗎？你看我的力道有越來越小嗎？我手動的節奏有不一樣嗎？我都還可以心平氣和地和你們談論因果，我怎麼會累呢？不要擔心，不是我在治病，我只是把手借給祂們而已。」一整天下來，我的手腳不會酸也不會痛，相反地還感覺到全身舒暢無比。

沒多久，我就發現到似乎是有點不太對勁，爲什麼呢？從小到大，我對醫學，不管是中醫還是西醫，我都是個門外漢；什麼偏方、補藥、營養品……我是一概不知。朋友常笑我是那種直來直往，一條腸子通到底，喜怒哀樂全都寫在臉上，一看便知的人。而今要我對我自己沒有把握，甚至於是完全不懂的「醫學」自圓其說，還要別人相信我所說的話，那簡直是在折磨我，摧殘我，要我的命。

其實爲了通靈治病，有一陣子我很用功很努力，買了好多書也看了許多，一心一意想搞清楚什麼叫做任督二脈，什麼叫做五臟六腑……，結果就如同我看佛經一樣，非常地努力造成了非常地健忘與非常地遺忘。最後我老實告訴祂們：「對不起，我盡力了，其他的你們自己看著辦吧！」從此以後，我自動放棄了這一門課的學分。

在我看病的過程中，還有一種比較特殊的現象，那就是一般人所謂的「因果病」了。通常祂們會先讓我知道對方的病症到底是這一世身體上眞正出了毛病，還是因爲過去世的因果造成了這一世的病痛。

一般來說，如果祂們在算命一開始的時候就讓我看到一些畫面的話，那麼這些畫面絕大部分一定是過去世的因果，因此我可以在一邊看畫面的同時就領悟到此人此世的個性以及可能會罹患的疾病，很玄的是，猜對的百分比，幾乎是百分之九十以上。（我不是在自誇，因爲不是我厲害，我想要表達的是請各位特別注意因果的可怕性，以及黑盒子、超級電腦的重要性。）

如果不是因果病，那麼我會拜託他趕快去看醫生，也許我會提醒他告訴他：「你跟西醫（或是中醫）比較有緣，你跟某某醫院比較有緣。」如果是因果病，我只能告訴來者我所看到的有關於他過去世的因果故事，並且印證一些事情讓他相信，待他相信之後，我還是會勸他先去就醫，並且再三強調必須還要多多行善，病情才會好得比較快。我會很仔細地告訴對方怎麼樣去試著改變自己的心態接受某些事實，我也會教他如何從某一個角度去多多行善，除此之外，其他的我實在是愛莫能助了。

曾經有很多人一再地拜託我：「你一定要幫我的忙！過去世我做錯了，現在我知錯了，請菩薩赦免我的罪，拜託！拜託！請你跟菩薩求情，好不好？」我總是很嚴肅地回答對方：「如果菩薩能夠赦免你的罪，那麼那一世裡的受害者又要去向誰伸冤呢？這樣也太沒有天理了吧！再說，如果你就是那一個受害者，你要怎麼辦呢？」也有人在聽完我的話，接著說：「那你通的一定不是佛祖菩薩，祂們都是救苦救難的，祂們不會見死不救的！」

不是我狠心不動手幫對方的忙，而是，我眞的是無能爲力，因爲因果的事，任憑神佛菩薩也作不了主、幫不了忙。因果循環確確實實是宇宙間永恆不變的法則。

說點輕鬆的，「收驚」的本事，祂們好像還滿有一套的。坊間一般的作法是要本人或者是當事人的衣物才能收驚，可是我的「祂們」卻都不需要，不但如此，而且還是隔空收驚呢！對於我不認識的人，我僅需對方的名字、住址，就能收驚了，甚至於連香也不用拿。至於我在虛空中比手畫腳一番，到底在畫些什麼符咒，看倌，答案是：「我也不知道！」就如同治病一樣，我也只是把手又借給了祂們而已。我常會這麼想，應該是說對方剛好要好了，而我的收驚只是正逢其時，純屬巧合罷了。

目前，治病的事，我早已不做了，收驚的服務則是偶而爲之。我實在是不願意爲了我自己所不了解的「能力」而誤導了別人、害了別人。也許我枉費了祂們的一番好意，一番對我的期待，但是我只是個平凡的人，我承受不了那麼多，與其做不好，不如不要做。但是，在「心理諮商」的這條路上，我覺得我對得起祂們。

談一談別的吧！如果我有病痛，祂們又是如何地對待我呢？印象最深刻的是在大學時代，有一次半夜肚子絞痛，扶著牆壁撐著到廁所，一蹲下去全身直冒冷汗，又是冷又是痛。最後痛得實在是受不了了，整個人倒在廁所的地板上，再也站不起來了。想想在大半夜，廁所又在屋子的最後端，離最近的家人起碼還有十五公尺的距離，我根本就沒有力氣發出任何一點聲音呼救……。

心急了，開始默唸「白衣大士神咒」，一字一字慢慢在心中默唸著。短短才九十多個字的咒語，都還沒有默唸完，我就已經解脫，完全好了，擦擦汗擦擦屁股，走回房間繼續睡覺。直到今天，不瞞各位，所有的佛經或是咒語，我只會「白衣大士神咒」，那還是我未通靈之前就已經會背的。

有一次，牙醫師爲了幫我修補蛀牙上的洞而打了麻醉劑，回家之後我居然撐不住而想要閉上眼躺下來，我直喊著：「快點！我快要昏過去了！」好不容易爬上了床，緊張的先生站在一旁看著我。（奇怪的是，看完牙齒之後，我還可以騎摩托車回家，回到家後還煮了晚飯，直等到我端起了飯碗準備吃第一口飯時，麻醉藥效才又開始再度發作。各位，注意到了沒有，祂們也眞會挑時間，算準我有空了，才讓我發作。）

迷迷糊糊之中，我還會描述我看到的畫面讓先生知道。我說了：「我變成了一個baby，我躺在菩薩的臂彎裡，啊！菩薩抱著我呢！啊！菩薩低下頭了，祂眉毛中間的那個佛光照下來了，照在我的身上，好暖和，好舒服喔！」故事到這裡就結束了，因爲我馬上就昏睡過去了。大約一個鐘頭後，醒來了，沒事，一切如常。

這次打麻醉劑的經驗，讓我回想起以前開刀的事。那時我還不會通靈，剖腹生產和痔瘡開刀我都是在打了麻醉劑之後，醫生發現劑量不夠，然後再加打。問題就出在這兒了，加打之後，我總是害得醫生與護士們先要對我來個「急救」，一夥人必須先把我從閻羅王那兒搶回來之後，才能夠開始進行原本要做的手術。我是個很不會喝酒的人，又怎麼會說是麻醉劑量不夠呢？難道說天生的我的體質就已經和一般人不一樣了嗎？

在此，我可以稍微描述一下急救之前我的感覺，當時的我雙眼緊閉著，我「看到」在我的前方出現了一個又黑又深的大洞，那個圓洞就這樣子順著時針的方向一直旋轉著，就像是個時光隧道的入口。我感覺到我的頭也跟著那個圓洞在旋轉著，一直昏眩進去，記得當時我還會說：「我好像快昏過去了！」然後好像只轉了兩三圈，我就不省人事了。……原本預計花四十分鐘的手術，結果進行了三個半鐘頭。

如今當我牙酸不舒服而去看牙醫時，我都會很老實地告訴醫生過去的麻醉記錄，看完之後，醫生稱讚我的牙齒很好，一切OK，可是我明明牙齒會酸會痛。於是連換了三家，結論居然都一樣。同事對我說：「哈哈！別傻了！聽了你的麻醉記錄，還有那一個牙醫師敢動你的牙齒呢！他當然只有對你說你的牙齒是一流的。」還好，後來到了榮總做健康檢查，還到另一家牙醫師那兒，都證明我的牙齒眞的是不錯。

八十九年十月中旬，媽媽因爲腎臟長了一顆很大的腫瘤而進入台北榮總開刀（就是媽媽開刀的這一天，朋友在電話中要我寫一篇有關於靈異與科學的文章，整本書就從此開始），事前她自己倒是沒發覺有任何的異狀，而是因爲高血壓去醫院作例行的門診被心臟科的醫生發現的。爲了此事，爸爸覺得媽媽的命是撿來的，於是在十一月，由他老人家出錢命令六個子女加上配偶還有他自己共十三人，全部去榮總做一天的健康檢查。結果第一批六個人檢查回來，爸爸好樂，笑著直說：「光是檢查出女兒子宮長了一個大瘤，我花這筆錢，就已經是賺到了。」

我是最後一批的，輪到我做胃鏡檢查時，先喝藥水，再打針，當護士小姐要噴麻醉劑時，我只好再把往事描述了一次，當然了，最後的結果是我忍著痛，就這樣在無麻醉之下做了胃鏡檢查，並且拿出了兩個息肉。話雖是這麼說，但總是得找出正確的答案，否則的話，萬一有病要開刀，我一命嗚呼哀哉倒是無妨，害得麻醉醫師去坐牢，這個因果我可承擔不起！所以，看倌如果您願意為我解答這方面的問題，我一定感激不盡。在此先謝謝您了。

在這裡，我要提醒各位的就是，預防重於治療，當發現有異狀時，不要拖，一定要先去就醫，而不是去管它到底是不是因果病。雖然說「活著」未必是件快樂的事，但是既然是活著，就要是健康，要能吃能動，不要苦了自己，也不要拖累了別人。我以為求「好死」比求「長壽」更重要也更困難。

祂們也曾在睡夢中為我除病根。事情是這樣的，孩子們學音樂，學大提琴和低音提琴，我這個做媽媽的只好當個最佳的「提琴手」。幾年下來，完蛋了，右手的手臂肌鍵受傷了，到醫院做復健也不見效。為了怕小孩也和自己一樣受傷，更不忍心讓他們自己拿那麼大的樂器而長不高，於是忍著痛，也只有繼續扮演著提琴手的角色。有一夜，睡夢中，手臂上的痛楚就像被連根拔起一樣的往上被拔了起來，那種「出離」的感覺，就像是一根被插在皮膚深處的長針被慢慢地抽離了出來，逼得我不得不睜開了眼，望著自己傷痛的手臂，愣住了。但也只是一剎那的功夫，從此我和這個病痛說bye bye了。

有時候日子實在是太忙碌了，稍不注意就把身體給累壞了，只好求救於通靈治病的朋友。通常我的毛病只要來個刮痧即可，刮過痧的朋友應該知道那種滋味實在是並不怎麼好受。前一兩次，我大呼小叫的，第三次以後，不會覺得痛了，原來是有東西附在我身上爲我承受痛楚。什麼東西呢？烏龜！連朋友都說怪不得刮起來的感覺不太一樣，他自認爲他那種刮法不是一般人可以忍受得住的，我只是個女人家怎麼可能不會痛。本來我還挺得意的，想想居然還會有烏龜來幫忙，後來，再一想，不對！我怎麼可以這樣，害了烏龜！於是我開始強迫我自己去承受，我一再地在心中默唸著「我是國王，我要忍耐，我要忍耐，我是國王……。」從此我學會了用吸氣吐氣代替大呼小叫。

這一兩年來，我還有一個比較特殊的情形，那就是我可以感受得到某一個在遠處的朋友的心情，朋友的情緒會影響我的情緒，有時候就連朋友的病痛我也一樣感受得到，同一個部位，他痛我也跟著痛，必須等到他好了，我才可以放輕鬆，才會沒有事。所以見了面的問候語，常常是這樣子開頭的：「都是你害我的！」這也實在是無可奈何，我做不了主，也控制不了。我們不知道祂們這麼做，到底是爲了什麼，難道這就是所謂的「心電感應」嗎?未免太累了吧！

談到「因果病」我倒是想告訴各位我是如何醫治我自己「現世報」的因果病，也許這個經驗只是純屬巧合，但是我要說明的是「心態的改變」在因果病的治療當中確實是扮演著舉足輕重的角色。

大二暑期，參加了澎湖戰鬥營，爲了怕暈船，顧不得烈日當空，來程與回程我都是坐在甲板上的船首之處（就像是電影鐵達尼號的商標鏡頭，只不過我是坐著，讓兩腳懸空伸出船外隨風擺盪著）。活動結束，又馬上向東海岸健行隊報到，兩趟活動下來，我成了「紅關公」。開學之後，後遺症來了，我沒有辦法忍受一點點的陽光，只要身上任何地方被陽光照到，（就算是透過玻璃照到也是一樣）我就會又紅又腫又癢……。將近二十年的時間裏我都是全副武裝，帽子、長袖、長褲、手套……，偏偏我又是個怕麻煩的人，討厭戴帽子，討厭撐傘……，但又能怎麼樣呢?西醫說是「日光疹」，朋友說是「見光死」，怎麼醫也都無效。

通靈之後，總想爲自己找到一個答案，有一天在燙衣服時，突然眼前出現了小學二年級時在祖父家的畫面……。我記起來了，我拿了一個編有許多小洞的大篩子，到池塘裡撈起了好多好多的蝌蚪，然後將牠們鋪倒在紅磚砌成的矮牆上，面積大約有三十公分寬乘以一．五公尺的大小。在烈日的照射下，那些數以百計的小蝌蚪就這樣被我活活地給晒死了……。

我對自己發下重誓：「從此以後，我不再抱怨了，我罪有應得，但我乞求老天爺幫我的忙，請將我的歉意轉達給那些小蝌蚪們；如果可以的話，往後我每服務一個人，就當作我向一隻小蝌蚪道歉。如果老天爺認爲罪無可赦，無法替代，小蝌蚪們也不願意原諒我，那我也欣然接受懲罰，永遠心甘情願地做個見不得陽光的人」。

自此以後，我更加客氣地對待每一個來尋求指點的人，並且向他們說謝謝。兩三年之後，日光疹不再出現了。謝謝，謝謝那些可愛的蝌蚪犧牲了性命讓我上了這麼寶貴的一課。

# 植物人

那已是六、七年前的事了，雖然事後，我試著投稿給報社，但我相信編輯先生一定以爲是個瘋子投的稿件。就如同白曉燕案一樣，在抓到陳進興之前，我也曾經投書給報社，大談因果和「黑盒子」的理論，但是在那個時候我根本就只是個名不見經傳的人，相信編輯先生們看了那些天方夜譚的文章之後，也只能搖搖頭把稿子丟到垃圾桶裡去了。我還眞是要謝謝當時的總編輯，若不是因爲他們的遺棄，那有今天出書的我呢？

六、七年前的某天下午，一位三十初頭的工程師來找我算命，隔沒幾天，介紹他來的朋友打電話給我，告訴我說這位先生出了意外，從家中浴室洗澡出來，滑了一跤，後腦勺撞到地面，從此不省人事……。我好懊惱，氣自己怎麼沒算到他有此一劫，害得他如此。他的妹妹一直藉著電話跟我聯絡，希望我能幫忙，讓他的哥哥早點康復，可是我所接到的訊息卻偏偏是他不想活了。

我到台北的和平醫院去看他，才幾天的功夫，一個年輕又溫文儒雅的有為青年，就這麼樣的變成了所謂的植物人，整個形體消瘦了，牙齒也脫落了，癱在病床上，留給人印象最深的就只剩下那一對又大又空洞的眼神了。

當著他的面，我還是一樣，老實地告訴他的家人我所收到的訊息。但是他們怎麼可能接受呢？**換成是我的家人突然之間變成這個樣子，說什麼我也不會輕易放棄的。有時候將心比心還是沒有辦法體會到對方的處境。**隔一陣子，我與朋友聊起此事，言談之間，突然看到我與這位工程師的因果，我哭了。回電話給他妹妹、告訴她，我會試著把他哥哥的靈魂附在他家人的身上，讓他自己親口告訴家人他的感受。

那時，他已被轉到石牌的振興復健醫院。那天晚上，兩位朋友與我一起前往，病房很大，病床被推到房間靠窗戶的一個角落，他就躺在那兒。我請他的三個家人坐在椅子上，而我則是站在他們的面前，我們一起懇求菩薩的幫忙，看看是否能夠讓他的靈魂直接附在家人身上。幾分鐘之後，沒有動靜。

我相信我比在場的任何一個人都還要緊張，因爲我只是不忍心看到過去世的親人如此受罪，也想到他曾經來找我，而我卻沒有提醒他有此劫數，因而自告奮勇地來做這種我從來就沒做過的服務。**我根本就不知道一個活著的人，他的靈魂是否能夠附在另一個人的身上。我似乎是在拿自己開玩笑，但是除了這麼做之外，我已經想不出還有其他更好的辦法。我眞的覺得好內疚，好內疚，總想爲他補償些什麼。**

我沒有做任何的法事，我只是站著，閉起眼，默唸著：「菩薩，請您幫忙，讓這位躺在病床上年輕人的靈魂直接附在他家人的身上，讓他自己和關心他的家人來對話。」再一次，依然沒有動靜。我心慌了，也好難過，想到自己那麼有心來一趟，我再次懇求祂們……。突然，我覺得不對勁了，「快點！趕快拿把椅子給我坐，他已經在我身上了！我快要倒下來了！」那麼巧，房內就有一張躺椅，我整個人……。

生老大的時候，我是剖腹生產，開橫的，不過是經過陣痛之後才開刀的。老二、老三都是採用自然生產，自然也躲不掉「陣痛」的這一個難關。醫生們常說產痛是最「痛」的，不過，經過這一次附身的經驗，我覺得似乎並非如此。

我躺了下來，一秒鐘之內，我全身酸痛無比，腦袋瓜還很清醒，但是肉體卻已經是一百八十度的大轉變。我覺得好奇怪，心裡想著我到底是怎麼了？怎麼會突然變成這個樣子，到底是怎麼一回事呢？嘴巴卻直喊著：「你們看！你們看！我的手，我的腳都抬不起來了，你們看啊！你們看啊！」

這個時候，我的腦袋瓜眞的好努力叫自己把手舉起來，可是不管怎麼做都抬不起來。一直保持淸醒的「我自己」還好奇地想著，不妨試試看把腳抬起來，結果，不管我多麼努力，居然也是一樣，完全沒有辦法把自己的腳抬起來……。**那種感覺好奇怪，明明自己的手腳是好好的，腦子也完全清醒，可是爲什麼會是這個樣子呢？**

我迷惑了，因爲會通靈的我，根本就不懂乩童那一套。當初我就跟祂們有個約定——我不允許外靈附在我身上，我只願意做個傳話者——不過，也只是一眨眼的時間，**我就明白了，原來我的身體包括我的嘴巴（硬體），全都借給了他，而內在的思想（軟體）卻仍是屬於我自己的。**

想通了，我讓自己盡量放輕鬆，讓他更自然地利用我這個肉體。他繼續哭喊著：「爲什麼不讓我走？你們爲什麼不讓我走？爲什麼一定要把我留下來呢？」他哭得有夠悽慘，我滿臉都是淚水，而令我眞正不舒服的卻是我借給他的身體。我的背，我的腰，我的尾椎……，眞的是酸痛到了極點，比生產時的陣痛還要痛上好幾倍。我沒有辦法告訴在場的人說我很不舒服，因爲我的嘴巴已經借給了他。

「僵」在躺椅上的我，沒有人能夠想像得到我的痛苦，偏偏我的手我的腳又不聽我的使喚，動也動不了，只好任憑酸痛「侵蝕」著我，眞的只有用「侵蝕」兩個字才足以形容我的感受。

實在是承受不了了，我用意念也沒有辦法勸他離開我的身體，逼不得已，我只好強迫自己拼命集中精神，好不容易勉強地抬起了右手，用右手的手掌心在自己的額頭上大力的拍打了幾下，強迫他離開我的身體。（各位，對我來說，這是一種很有效的方法，當我覺得不想讓靈界的朋友附在我身上時，我通常都用這個方法。）

也僅僅是一秒鐘的光景，我又變回了我自己，全身所有的痛楚全都沒有了，馬上站了起來，只留下滿臉的淚痕，朋友拿出衛生紙讓我擦拭。我告訴他的家人：「我從來沒有爲人做過這種事，所以信不信由你們，但是我必須說的是，他躺在那兒，全身酸痛極了，有空的話，不妨多幫他按摩按摩。」當我們三人步出病房時，朋友說話了：「你剛剛眞的是把我們給嚇壞了！」

回程中，我想到了我的婆婆，我結婚才幾個月，她就因高血壓引起了輕微的中風，後來又因為腦溢血，血塊壓到了神經，然後變成了植物人，在床上躺了兩年多才過世，身為長媳的我住在台北，無法為遠在高雄的她按摩……。

這次附身的經驗，讓我難過了好久，我沒有想到躺在病床上的植物人，他們肉體上的痛苦以及思想上的無奈，居然會是如此的令人震撼。雖然我投書到報社，但會有人相信嗎？請死去的人來附身是常有的事，但請一個植物人……，罷了。之後，植物人安養院有人與我聯絡，希望我去他們那兒做這類的服務，我只告訴對方：「如果通靈的結果是，那個人的靈魂早就已經回去報到的話，那麼他的家人該要如何的面對呢？」為了怕有後遺症，我請祂們把這個能力收回去。

其實我很不願意再提起此事，但是看到那麼多的人，因為飆車、車禍、自殺、打鬥……等等因素而變成植物人的例子，我好心痛。要到那一天，正常的人才可以稍微地體會得到植物人肉體的痛，心靈的痛呢？如果您的家中就有植物人或是臥病在床須要照顧的家人，請接受我的拜託，有空的話，幫他們多按摩幾下，用他們可以接受的力道替他們服務一下吧！也許他們是藉由他們的痛苦來成就我們的修行。

過了沒多久，又有一個比較特殊的個案。那是一個五十多歲的中年婦女，平日身體狀況良好，有一天她在家中，突然頭痛不支倒地，馬上送醫急救。醫生發現她的腦部出了問題，徵求家屬的同意，準備開刀。這個時候，患者娘家的媽媽趕來了，這位老人家認爲就讓她女兒回去報到，不要再救她了。醫生及其他的家屬都很不解，因爲只要不開刀就一定沒有存活的希望，於是透過朋友用電話與我聯絡。

我說：「我收到的訊息是她自己想要開刀，她還不想這麼早死，可是她的陽壽已經到了。我是這麼覺得，既然她還不想死，那麼就應該讓她開刀，就算命中註定她活不成了，她也才會甘心地離開，否則的話，她一定是帶著怨恨，死不瞑目的。」只可惜，最後還是那位老媽媽做的決定，沒幾天，婦人就歸天了。

她遠在加拿大的女兒趕回來了，想念已經死亡的媽媽，卻又不知該如何是好，於是又找上了我。我是不讓陰靈附身的，可是想到她媽媽的事，我也挺難過的，我跟她約了時間，地點，想幫她一點忙。（這裡，我必須說明一下，一般的寺廟認爲戴孝的不能進去拜拜，所以我從一開始，就沒有任何的限制，我以爲家中有喪事的，一定會有更多的問題需要解決。）

來的可眞是快，一附身就是哭，哭得好大聲，又叫又喊地：「爲什麼不幫我開刀呢？爲什麼就這樣讓我死掉了呢？我死得好不甘心啊！我不願意就這樣死掉啊！我死得好不甘心啊！……。」眞的是好慘好慘。誰的錯啊？是她命中就該如此的嗎？

我想到了「安樂死」的問題，站在我的立場，我是持反對態度的。就像上面這位婦人的例子，如果照顧的人累了，想要結束病患的生命，那麼又有誰知道躺在病床上的人是否也一樣想要放棄生存的權利呢？當然了，如果像植物人那個例子，也許他早就想死了，可是照顧的人卻不放棄，那又該如何呢？

也許我們會發現，病患與照顧者之間，往往存在著很奇妙的對等關係。假設躺在那兒的人想要離世，想要解脫，偏偏照顧的人又非常有心地在服侍，那麼對病患來說，豈不是成了一種折磨嗎？再假設，躺著的人一心一意想要趕快好起來，而照顧的人卻應付應付，想想這對病患來說，不也是一種說不出口的痛苦嗎？當然了，雙方想法都一致的時候，那就好解決了。

站在因果的角度，也許這兩個人都是要來「學習的」，藉著同一事件，各自從不同的角度來學習不同的東西，不要以爲躺著的人就不用學習了，說不定他所學的比我們學的都還要更深更難。當然，我們也不能以爲一定是這樣的，就像〈他們怎麼了〉那一章中所描述的一樣，這世上有很多人眞的是值得我們尊敬的。

# 面對死亡

華航大園空難發生後，我對祂們說：「我們到殯儀館去看看，看看我們能爲那些死去的人做些什麼。」

我出生在一個大家族裡，只要家族裡有人過世，那麼分散在各處的親戚都會全部趕回來，不管是入殮還是出殯，總是全員到齊，一大堆人忙裡忙外的。從小孩子的眼光看來，那實在是一件大事，一點也不會感到悲悽，反而覺得好熱鬧。老人家快斷氣之前，趕快將他從醫院接回家，擦淨身體，換好衣服……，然後就眼睜睜地等著看他嚥下最後一口氣。接著做法事，看好時辰準備入殮……，直到將他送上山入土，回來之後，還要忙著和其他旁系的家族一起祭拜祖先，最後還得圍成一個大圈圈燒庫錢，燒紙糊的紙紮屋。在火光熊熊中，我才會覺得把他老人家送上天了。

所以從來我就不會畏懼死亡，總以爲病了、老了就要回去報到，死的時候也一定會有一大堆的親人在旁邊目送著我離開這人世間。

又怎會知道，居然會是這樣子的場景。有點像個人形而又還沒有被家屬指認的，就把他（她）安置在一個一尺寬六尺長的薄木板箱裡，木板箱一個挨一個地排在走廊下；無法辨認的大小屍塊，就把它們一一編號，放在一個很大的厚塑膠袋裏，擺在一根柱子旁邊。那些被安放在木箱裡的屍體，一個個是燒得又焦又黑，連衣服都根本無法辨認，服務人員只是在上面蓋了幾張報紙以便家屬翻開指認。好心的慈濟義工則是穿梭在殯儀館內，幫忙罹難的家屬處理善後的問題。

知道嗎？第一眼的感覺是——人死後，就像是堆垃圾——不是嗎？難道不是這樣子的嗎？什麼尊嚴、頭銜、外表……都已不存在了。躺在那兒，什麼也不是。對不起，對於死者，我沒有一點點的不敬，就是因爲心疼這些罹難者，我才會自己一個人搭車來到了殯儀館。我懇求神佛菩薩，盡祂們所能幫忙這群罹難者安心地往生，也許祂們什麼忙也幫不上，但起碼我盡力了。

民國六十九年的時候，我參加了三十六天的歐洲旅遊觀光團，七十一年又參加了二十五天的美加團。這兩趟下來，我才發覺世界是這麼的大，尤其是在美國的大峽谷，望著那大自然的奇景，我只有一個感覺——人，有什麼好爭的！——人是這麼的渺小，這麼的微不足道，和大自然比起來，我們算什麼。從此我對人對事的看法都有了很大的轉變，對自己也有了不同的期許，對於死亡也有了另一番的見解。

我讓自己盡量去學習「盡心盡力的做每一件事情」，只因爲我發覺在我手上的時間居然是那麼的有限。也許這種觀念會讓我自己過得很緊張，很辛苦，但，我願意。我也告訴孩子們，日子不是用來混的，既然出生爲人，日子絕對是用來學習的。

從小我就一直告訴孩子們生死的問題，當別的家長看到路邊有靈堂時，絕大部分總是會說：「趕快把頭轉過去，不要看！」我卻剛好相反，我會說：「你們看，那邊有人死掉了，告訴他（她），阿彌陀佛，好好走！」「我們請菩薩替他（她）帶路。」我不准孩子們說出任何一句對死者不禮貌的話。

曾經有一陣子，砂石車橫行，撞死了好多人。看電視新聞時，我特別要孩子們注意車禍，注意火災的消息，我說：「你們看看他的家人哭得那麼傷心，他們怎麼會知道他的家人就這樣一去不回了呢？死的那個人自己也絕對沒有想到，一出了家門就從此再也回不了家。再看看火災好了，他們又怎麼會知道出門的時候還好好的一個家，等到回來的時候卻已經變成一團黑了。」

我要他們清清楚楚地知道：

●生死眞的是很無常的，有些事絕對不是自己可以掌控的，有些時候眞的是很無奈，因爲對整個宇宙來說，人，實在是太渺小了。

●當分手的時候，不要帶著怨恨，不要說狠話，也許這一轉身，就永遠沒有說聲對不起的機會，變成了終生都無法彌補的愧疚。

●必須訓練自己隨時能夠面對死亡，也就是說在任何時候當死亡找上門的那一剎那，都能夠心安理得，不害怕進天堂，更不害怕下地獄，至於有沒有遺憾，那一點都不重要了。

●學會活在當下，珍惜目前所擁有的，尊重自己也尊重別人，隨時存著感恩、惜福、惜緣的心，將心比心地對待別人，看待事情。

●訓練自己，打點自己生活上的一切事物。除了自己的部分，共有的「家」也必須學會分擔責任，還要擴展到學校，到社會，到周遭所有的人。千萬不要藏私，只要自己能力做得到的話，就一定要盡量去幫助別人。

我交待孩子，當我死後，如果器官還有用就捐贈，（我比較擔心的是我的體質與一般人不同，說不定反而會因此而傷害了別人。）不然的話，火化之後，往大海一倒，或往敦煌沙漠一倒就可以了。想想平日我們吃魚、吃肉，我們砍樹……，死後回饋海底的生物，回饋大地，又何妨呢？這不也是因果循環的最忠實表現嗎？（孩子，千萬不要把媽媽的骨灰放到家族墓，或放到靈骨塔裡，你們很清楚我的個性，我喜歡自由，喜歡獨來獨往，討厭應酬，更不擅於說客套話。）

有一次，我與三個孩子坐計程車外出，車上剛好播出車禍的消息，一時心血來潮，我又提起了萬一我死了該怎麼處理的事。老大說：「媽媽，我們早就知道該怎麼處理了，可是，你實在是很奇怪，你又怎麼知道你一定會比我們早死呢？」

啊？言之有理！**又沒有這個規定，規定早生的就一定得早走**。我可眞的是服了她的問題。「說的也是！我怎麼就沒有想到也許是你們比我早走呢，好吧！那麼我倒是要聽聽看，如果是你們比我早走了，那我應該要如何處理你們的後事呢？」於是你一言我一語地，四個人在計程車裡高談闊論。紅燈亮了，車停了，司機回過頭來，很嚴肅地對我說：「太太！你怎麼會跟這麼小的孩子討論這種問題呢？」我只淡淡地回他一句：「先生，難道你不會死嗎？」

老二接著問道：「媽媽，骨灰往大海一倒，那麼到了清明節的時候，我們要到那裡去掃墓呢？我們又該怎麼拜你呢？」各位，怎麼樣，小孩子確實比大人可愛多了。我告訴他們，反正台灣四面環海，每個地方都可能有我的存在，清明節時，就到海邊郊遊，對著大海想一想媽媽就行了，平常的時候，想媽媽就看看照片，再不行的話，用心念和媽媽溝通就好了。「可是你收得到我們對你說的話嗎？」「大概可以吧！」兒子插嘴道：「**就算媽媽收不到，菩薩也一定收得到，我們就拜託菩薩把話轉告給媽媽不就行了嘛！**」這一招，高招！

臨死之前的那一剎那又是怎麼一回事呢？我倒有一個經驗。（那時我已會通靈了）祖父死的前一天，他說希望看看這些孫子、曾孫子們。那時候，就像往常一樣，他好得很，不過也因爲那天恰巧是星期日，所以嫁出去的大大小小全都回家讓他瞧一瞧。第二天一早，爸爸餵他老人家吃早餐，吃到一半，有點噎到，祖父突然說：「我的眼睛怎麼越來越看不清楚？一直黑了起來呢？」就這麼簡單而已，又那會知道從此他再也起不來了。

爸爸趕忙將他背下樓送到醫院急救，當我到達醫院的時候，已經將近十一點了，他老人家已被送入加護病房。坐在加護病房外等候的我才剛閉上眼，就看到他的靈魂飄在離病床上約一公尺半的高度，一樣是橫躺著的姿勢。三姑姑問我的看法，我說：「在我的立場來說，是應該走了，可是只要是呼吸器繼續帶著，他就還算是活著，問題是誰有權利，誰敢把呼吸器拔掉。」請教醫生的結果，也是同樣的答案。

最後是爸爸做了決定（因爲他是長子），子時一到，帶著呼吸器用救護車把他接了回來，家族們能趕到的都到了，但是我及妹妹們的孩子都還小，於是就把六個小孩集中在我家，由我負責照顧，其他的大人全都回去幫忙。孩子們全都睡了，我自己一個人靠著牆壁坐著，怎麼可能睡得著呢？想到阿公他老人家對所有的子孫都那麼地好，想到他留給我們最受用的一句話——「賜子千金，不如教子一藝」……。

恍惚中，突然一聲「憨孫」貫入耳，哇！我整個人崩潰了！那明明就是他，就是他老人家取笑我們這些孫子們的開場白。頓時，我放聲大哭，一邊大哭一邊拼命用雙手捶打著牆壁。我非常清楚地知道，他老人家一定是發現現場少了長孫女，特地「飛」來向我說再見，並且笑我這麼樣的看不開。之後，查證了一下，那個時間正好是拿掉了呼吸器，他老人家離世的時間，享壽八十八歲。

還記得那是八十七年的六月，祂們突然告訴我兩、三個月後就要把我帶走。平日我很瀟灑，但是知道的時候倒也眞的是被祂們給嚇壞了，才猛然警悟到自己實在是很差勁，一顆戀世的心從來就不曾放下過。與好友談起此事，她教我一定要寫遺書，交待清楚手邊財物的分配以及其他的注意事項。我開始忙著訓練孩子們生活上的獨立，卻又什麼也不敢告訴先生、告訴孩子。那兩、三個月，如今想起來……，也沒什麼了，只記得到了九月初孩子們開學的時候，每晚闔眼時，我都會對祂們說：「我準備好了！」第二天醒來，我高興我又撿到了一天，想想還有什麼可以準備的……，等到晚上睡覺前又一樣的告訴祂們……，日復一日。

那時，正好有一部叫做「接觸未來」的電影，女星茱蒂·佛斯特主演的，我連看了四次。每次總是淚流滿面，尤其片中有一段她進入時空運輸器，準備發射時所說的："I am ready！"對我而言，簡直是心如刀割。雖然我已經不再害怕死亡，但是想到自己即將要踏上回家的路，那種感覺就像女主角一樣，對著一個像是熟悉，其實又很陌生的時空，只有期待只有興奮，可是卻又沒有人可以作陪。同時也想到如果繼續待在人世間，我所要面臨的也像女主角一樣，沒有幾個人會站在自己這一邊的。後來我買了錄影帶，一再地重看三個鏡頭：她一個人孤孤單單地在峽谷中接收到訊息的那一剎那，要升空前的心理歷程，還有最後她對著評審團所講的那一段話。

隔沒多久，祂們說話了，告訴我：「生死關」通過了。老天爺！居然是個魔考！整整考了我兩、三個月。

祂們說我以後是「客死異鄉」，大概會活到六十八歲，我要相信嗎？相信又怎麼樣？不相信又怎麼樣？日子一樣是要過的。先生說：「那你的意外險最好要保多一點。」我呢，也只好積極地動一動腦筋，想想看，要「客死」在那一鄉比較好呢？我的外語能力又差，那有什麼資格在異鄉過活，除非是台灣海峽的另一邊。問題是那個地方算是「異鄉」嗎？別自尋煩惱了！

對我來說，我的將來「似乎」操縱在祂們的手上，這不是一般人能夠體會得到的，我沒有權利也沒有辦法像各位一樣，可以編織自己的夢想，規劃自己的未來，不得已，我只好強迫自己學著去把握住現在。雖然說是六十八歲，但有過一次經驗的我，已經不再受騙，隨時都已做好回去的準備。

*八十九年十二月四日，晚間的電視新聞播出有關於殯葬業的行情，如超渡三萬元，法事兩萬五千元，孝女白琴……，還在唸國二的小女兒看到了，直呼：「一個人死了，還要花這麼多的錢，好浪費！如

果把遺體燒一燒，骨灰就灑在土裡當肥料，不是很好嗎？除了做環保之外，又可以讓植物長得更好。」我一聽，趕忙把我的稿子翻到〈面對死亡〉這一篇，讓她看一看。她又有意見了，以下是母女兩人的對話。

「媽媽，你說要把骨灰丟到大海，那樣子還得先到海邊去才可以，我覺得太麻煩了！」

「那麼，照二阿姨說的，把骨灰倒在馬桶裡就好了，反正最後一定會流到大海裡去的。」

「我是很想把骨灰倒在馬桶裡，可是又怕馬桶不通，會被堵塞住。」

「怎麼可能呢？馬桶怎麼可能會被堵塞住。」

「我怕會被結石或者是舍利子給卡住了。」

# 因果圖

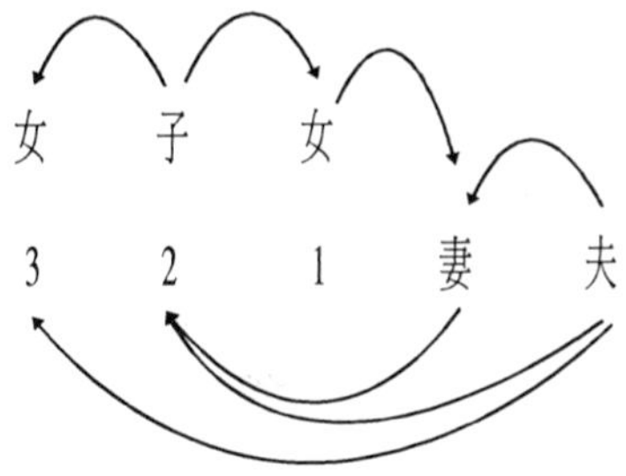


圖一

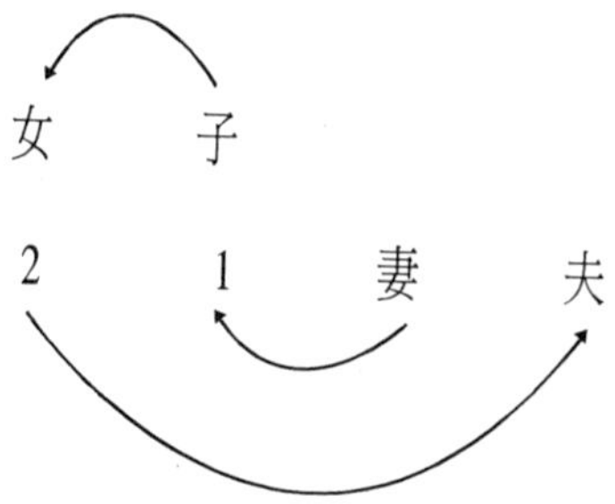


圖二

通常有人來找我算命時，如果對方是爲人父母者，我總是會先問他有幾個小孩，然後就在白報紙上，如右圖那樣寫著：夫、妻、1、2、3……，再問他小孩子當中那幾個是男的？那幾個是女的？再在1、2、3、……上面寫上子、女。是男？還是女？這個我算不出來，剛通靈時，我連男女都不問，就直接算了，但是後來發現一般人大部分都是重男輕女，所以我學乖了，男孩子也許我就會多講一些。

**在沒有住址，沒有姓名，更沒有八字等資料的情況下**，我馬上在紙上每個人的代號之下，用筆寫下這一個人個性的特徵，例如：看錢很重，個性女人化，懶散，個性拘謹，凡事不在乎，神經質，出手大方，樂天派……等等，然後我會問來者我寫的這些特徵對不對，如果對的話，我就會繼續算下去。如果有差錯的話，我也會很自在地說：「對不起！那你就不要相信我了。」這個時候通常對方會說：「沒關係，你就繼續講下去嘛！」我也一定會接著說：「如果連個性都算不準，那表示祂們調錯人了，就算我繼續通下去，也不會是對的資料。對不起，我不想誤了別人，所以很抱歉，我不會再講下去了。」就這樣，結束了。

很酷吧！我的態度眞的就是這樣。當我要爲人服務時，我會事先排定那幾天那幾個時段我有空，於是接受電話預約，不管是任何人，只要你能排得到時段，那我就一定會準時爲你服務，每個人半個鐘頭。這就是我所謂的「能進得門來的，就是有緣。」常鬧的一個笑話就是，有人在電話那頭拼命說：「陳太太，我是朋友介紹的，那個朋友說他給你算了好多次，你一定認得他，拜託嘛，就讓我多插一個名額嘛！」各位猜猜我怎麼回答的：「我從來不留別人的資料，除非我看到人，不然我根本就不知道你指的是那一個人，而且我排的時間是一個接一個的，根本沒有辦法再插一個人進來，很抱歉，大家都一樣！」

有一點比較耐人尋味的，如果我寫的個性就是來者本人，而偏偏內容又不是很好看，例如：勢利，眼高手低，懷疑心重，不滿現狀……等，對方總是想了很久，幽幽地說：「好像不太對。」這個時候，如果有家人或朋友同來，我就會問這些人，他們也眞是合作，總是會很不給面子地點點頭或乾脆插話進來：「你本來就是這個樣子的，只是你自己不知道而已，我們都不好意思跟你說。」

萬一只有他自己一個人來，或者旁邊的人表情不太自然時，那簡單，我會繼續算下去，我一定可以從接下去的談話中找出他的本性，然後一語道破：「你看，你對這件事的看法，是不是就是我剛剛說的你太小氣了，太勢利眼了，你必須要勇敢地面對自己的個性，承認自己的不對，如果有不好的就要改，不改的話，你就永遠也改變不了你的命運，任誰也幫不了你的忙。」修行就是要修正自己的行爲，不是嗎？

所以，當我算命的時候，安慰別人，恭維別人的畫面實在是不多見。也因爲基於這個原因，我比較喜歡面對面地當場算命，不但可以觀察別人的小動作，又可以訓練自己的反應，最重要的我可以從祂們那兒學到如何與人對話，如何適時的轉變話題，如何試著去勸導一個人改變他的思想。很多人對著我說以下的這一段話：「陳太太，我實在很想讓你算命，和你聊聊，可是又很害怕會被你罵。」我會笑嘻嘻地回答他：「謝謝你，那我就省事了，也謝謝你把機會讓給別人。」

來，我們接下去聊，個性認同了，我就開始畫弧線畫箭頭了，譬如圖一，由夫畫向妻，代表在因果的關係中，是丈夫欠妻子，由長女畫向妻，表示長女欠媽媽，……，其餘依此類推。這個「欠」字有待進一步的說明，這些箭頭所指的是過去世某些事情的發生造成雙方類似「欠債」與「報恩」或者是「債權人」與「債務人」的關係。例如剛剛那兩個例子，就可以比喻成妻子是債權人，丈夫是債務人；長女是債務人，媽媽是債權人。如果當時發生的事，是好事，那麼就變成來報恩的，是壞事，那自然就變成是來要債了。

再說清楚一些，圖中由夫畫向妻的夫妻因果關係中，假設在因果故事發生的那一世是朋友A與B的關係，夫是A，妻是B，結果A殺了B，當然A自然就會欠B了，到了這一世也就成了丈夫欠妻子了。如果A懺悔有心要改過，那麼這一世裡的先生，也許對外人很霸道，很兇，但是就偏偏聽老婆的，疼老婆。至於妻子這一方面呢？也許就會對先生有一股莫名的恨意，可是偏偏先生又對她那麼好，不知因果的世間人還會罵她：「眞是人在福中不知福。」如果處於欠債立場的A，卻又無心償還這個債務，那麼到了這一世，可能就會變成先生表面上很怕妻子，私底下卻又很不服氣，可是卻又無可奈何。這對夫妻的關係，外人的看法也許就會認為太太很跋扈，害得先生不得不從，可是先生卻又服從地心不甘情不願的，自然而然就會以爲這個太太實在是很不明理。

再從媽媽與長女的因果關係來舉例，也許在某一世裡母女的關係是職員與老板的關係，媽媽是職員，女兒是老板，公司發生了虧損面臨倒閉的下場，這個職員想盡辦法，幫忙老板度過難關，事後卻又不求回報。這一世裡，他們重逢了，各位，不用我多說，一定可以想像得出大女兒對媽媽的態度會是如何了。這麼多的箭頭指的就是這一類的因果故事，很複雜吧！所以光是一家人就不知道會有多少個故事可以編成劇本的。以前我的生活相當單純，總以爲電視上演的是誇張不實的劇情，等到自己通靈了才發現，現實生活中的劇本比電視上演的精彩多了。

再來看一看圖二，也許您會發現夫與妻之間，並沒有因爲彼此有因果的關係而來轉世，卻是經由子女的因果關係把他倆給湊在一起了。這種本身沒有因果關係相牽連的夫妻，如果沒有好好經營他們的婚姻，那麼就有可能是淸淡如水，談不上什麼愛情，換句話說，就是兩個人之間缺少了感情的基礎。但是凡事一體必有兩面，往好的方面想，其實也是不錯的，因爲這種夫妻通常彼此不會互相束縛，彼此都可以各自發展。所以到底是「相敬如賓」還是「相敬如冰」就只好各憑本事了。（不妨想一想，萬一處理不當，有了閃失，那麼下輩子又該怎麼辦呢？）

由這兩個因果圖的舉例說明，我們大略可以了解到一些因果的基本事項：

1.不只是一家人才會有因果的關係存在，身邊較有往來的朋友多半都曾經「認識過」、「相處過」。當因果關係出現的時候，雙方當事人的個性，也將隨過去世的因果而對於對方有不同於他人的反應。

2.不要以爲因果就一定指的是上一世，也許夫妻因果是前二世，妻女的因果是前十世，這個重要嗎？第幾世又有何影響呢？重要的是都被安排在這一世來報到。

而因果關係的進行，並不一定是一出生就開始了，往往是必須等到相關的年紀或者是相類似的事件重演時，才會眞正進入債權人與債務人的關係。（同樣的，因果關係的結束，也許只是幾年就扯平了，也許要還一輩子，也許要進行好幾世才能告一個段落。

3.不要以爲一定在台灣，也許以前的因果故事是發生在英國，發生在印尼……等，再說那也就未必一定是信佛教了，所以有人說「不信某某教，就不能進天堂」有理嗎？看倌們，想一想，似乎只有「因果論」這個觀念才能夠完全適用於有人類的地方。（也許其他的動物也適用只是我不知道。）

4.有因就有果，**永恆不變**。不要**以爲只有行動才算數，就連起心動念都會自動**列入「黑盒子」裡。舉個例，搶劫銀行，我們會說是做壞事，但是如果時機不對，放棄搶劫，老天爺仍是會認定這是壞事，因爲搶劫之前必先策劃，有策劃之前一定是先有此構想。對了！從有這個想法、有這個念頭開始，黑盒子，就已經開始工作了。

5.**但是可千萬別把每一件事都推給因果**。就像圖二裡的夫妻，不就是沒有因果的關係嗎？就像是在玩數字遊戲一樣，加加減減，因果總有歸零的時候，也一定有再從零出發的時候。

6.到底是什麼樣的一個高科技超級電腦能夠安排這麼多人的命運呢？那麼又是誰根據因果的基本原則——公開、公平、公正——而設計這個電腦程式呢？最重要的是那一位大人物有權利來執行這個程式呢？

7.再想想，難道我們就這樣變成了祂們的玩具嗎？我們就絲毫沒有翻身的機會嗎？難道我們就不能做自己的主人嗎？爲什麼我們就不能自己選擇父母，自己選擇子女呢？爲什麼就一定得對老天爺的分配照單全收呢？

8.所謂的「禍延子孫」，我倒是不太認同，如果眞是這樣，那麼祂們實在是太不厚道，太差勁了。我想，祂們是特別小心，特別謹慎地故意安排一部分的人，讓這些人湊在一起，讓世人藉此警惕自己，爲了兒孫，爲了下一代，不要做壞事。上一代的人也不能因爲我這麼一說就亂來了，就算不爲下一代著想，也總該爲自己的下一世舖點路吧！爲什麼？如果在這一世裡，上一代的並沒有認眞的做個好榜樣，加加減減之後，變成了上一代的欠下一代的，那麼風水輪流轉，到了下一世，另一齣好戲的劇本也早已編好了。

9.如果不是因果的關係，那麼爲什麼同父母所生的兒女，爲什麼父母會有偏心的對象？而兒女也對父母各有不同的認同度呢？會是名字的不同嗎？還是八字不同的關係呢？還是……。遺傳學家能為我們找出一個滿意的答案嗎？DNA的研究可以為這個疑問下個結論嗎？

10.我的經驗統計出來的結果是以十六歲做為劃分責任的基準。十六歲以後自己做的因自己嚐果，十六歲以前，撫養他的人教育他的人，負有連帶責任。這倒是一個警訊，給現代的父母師長一個很大的思考空間。我常常告訴來找我的人，如果你要生孩子，那麼生了就要養，就要教，不是生來玩的。也可以轉過來說，生就是因，養與教就是果，如果不想嚐果，那麼就不要造因。這個責任的劃分可以接受嗎？就算你不接受，當懷孕的那一剎那開始，黑盒子就已經運轉了。

如今社會上青少年的問題這麼的多，家長、老師、還有所有的社會人士們都該加油了！不要就只是會在嘴巴上互相把責任推來推去。如果說，在家裡就已經是個問題小孩，那麼到了學校，到了社會，問題只會更加嚴重，更加複雜而已。請問這到底是誰的責任呢？就像一些從事不良行業的人士，如果您不為別人的小孩著想，也總該換個角度想一想自己的孩子吧！我相信沒有一個父母是真心希望自己的小孩被別人設計、被別人陷害的。

# 因果的故事

剛開始算命的時候，各位就不知道我有多興奮，興奮什麼呢？原來每天我都在看故事，說故事，聽故事。只要有一個人來，我就得算全家人的命運，而一家人又有那麼多的因果故事好說。久而久之，麻痺了，可是只要有人找我，就一定有故事好聽。曾經就有人建議我，要我跟他合作，他教我一個方法，只要在桌子上擺著一個錄音機就行了，他會負責後續的工作。**我沒有答應，因爲這樣子會牽涉到職業道德的問題，所以一直到現在我都沒有留下任何的資料。**

這麼多的故事把我自己給嚇著了，我自己聽到我自己親口說出來的故事，幾乎每次都能讓對方啞口無言。對他來說，也許只會覺得我這個人好玄好可怕，很不可思議，可是對我來說，**老天爺卻一再地要我上同一堂課，直到我深刻地體會到一個**

事實，那就是——什麼事、什麼人都逃不過因果的。

上一章，我們談到個性的特徵及因果圖，在畫完因果圖之後，我就閉上眼睛開始看過去世的因果，看完之後，我會對來者說一些相關的訊息，例如，「很奇怪，你先生是屬於那種凡事不太在乎的人，可是卻偏偏對有關於火的東西很敏感，你想想他看到小孩子在玩火時，是不是就會很緊張很生氣，是不是一天到晚問你瓦斯關了沒有？」通常對方都會點頭說是，並且還會舉出其他類似的事實來印證我的說法。這個時候，我才會說：「你知道我爲什麼會這麼說嗎？因爲我看到了在某一世裡，他和他的朋友躲在屋內抽煙，不小心失火而被燒死了。所以這一世裡，他只要看到火就有一股莫名的恐懼，而那一個朋友在這一世裡，很不巧地剛好是他的女兒，所以他只要看到孩子在玩火，他就會……」

很簡單的一個畫面，我就可以知道這一世裡這個人的個性，以及他和因果當事人之間的相處態度。藉著這樣的故事，我就會試著去勸導他們如何面對如何改善。「債務人」就算過去世做錯了，只要此生改變個性，心甘情願地好好償還，而「債權人」也學著將心比心地去體諒別人，那麼一家人之間互相包容互相忍讓，又有什麼事情解決不了呢？人云：「家和萬事興」一定是有它的道理的。

另外在算命的過程中，我比較喜歡多談一談小孩子的事，因爲大人們的個性多半都已經定型，而小孩子就像是一張白紙，雖然他們也帶來了屬於他們自己的因果，但是重點就在於作爲大人的我們該如何細心耐心地教導他們，引導他們走向有利於他們的「正途」。想想看，十六歲之前父母是負有連帶責任的，這擔子有多重啊！生了就要養就要教，這麼簡單而已。

更何況同父母生下來的孩子，個性各有不同，父母又怎能只用同一種方法就想要應付所有的孩子呢？專家們說的是一套，再多的理論都不如父母細心地觀察自己的孩子，耐心地依孩子們個別的特性而分別調整教導的方式來得重要。如果希望孩子們進步，那麼做爲家長的又豈能留在原地踏步呢？所以若是我能夠盡量勸得動父母，相對的，不也就是救了一個孩子嗎？我爲什麼不多努力一些呢？

有些人命中就有同性戀的趨向存在，像這種特殊的情形，大部分的家人都無法接受，可是能怪孩子嗎？話又說回來，畢竟還是自己生下來的孩子，遺傳基因也是來自父母，孩子都不怪父母了，父母又怎麼能怪孩子呢？當碰到有這種情形的家長，我都會告訴他們：「我相信孩子們自己也不願意這樣，隨時都得忍受別人異樣的眼光，如果連生他的親生父母都要責備他、要遺棄他，那麼他的日子怎麼會好過呢？一旦出了事的時候，又要怪誰呢？」這一群躲在角落的人，無法大大方方地面對這個社會，到底是誰的錯呢？

要清楚地知道，會有這種現象的發生，也許是因爲他們生理上荷爾蒙的分配與一般人不太一樣；也有可能是連續好幾世生爲女人（男人），而這一世轉世爲男生（女生），還不太能適應男人（女人）的身體，這難道是他們的錯嗎？誰規定男人只能愛女人，女人只能愛男人呢？「愛」只不過是比「欣賞」的程度高了一些罷了。如果這些人沒有傷害到任何人，沒有做任何的壞事，那麼誰都不能說他們不對。我不是贊成同性戀，也不是反對，我要強調的是，**是否我們應該尊重他們也有生存的權利呢？我們都能爲稀有動植物請命，爲什麼就不能留點空間給他們呢？**

一對夫妻來找我，我對妻子說：「你婆婆是不是常常懷疑你家裡打掃得不乾淨？要你重掃，就算你說掃過了，她也會說她沒看見不算數，要你再重掃。」這位婦女眼眶一紅：「我對我先生說婆婆對我老是雞蛋裡挑骨頭，他還罵我說我肚量那麼小老是在和老人家計較。」先生在一旁，低下了頭不語。各位你們猜，我看到了什麼呢？我看到了一棵大樹，這樹也眞是搗蛋，不偏不倚地就長在兩戶人家院子的交界線上。A戶人家的媳婦較早起，總是偷偷地把落葉掃向B戶人家的土地界線之內，B家的女兒曾懷疑過是A家的傑作，卻也一直沒有當場抓過，沒有任何的證據。A戶的媳婦就是今日的媳婦，B戶的女兒就是今日的婆婆。

就這麼簡單的一個故事，可怕吧！早知如此，何必當初呢？從那一日起我用「戒愼恐懼」來形容自己的日子。就連上公廁，如果看到有用過的衛生紙掉到垃圾桶外，我也會想辦法盡量將那些衛生紙撿起來重新丟到垃圾桶內，讓下一個進來方便的人感覺舒服一些。平日在清洗車子時，就連一條橡皮筋掉在馬路上，我都會彎腰撿起來，**因爲我不敢製造垃圾給別人。也許您會大笑三聲，笑我太緊張，笑我小題大作，但是我寧可小心一點，反正久了就會成習慣，習慣就成自然了。**

有一對知識分子，他們的長女智障（六歲），可是全家人包括祖父母，都好疼愛這個小孩，只是他們很不解爲什麼會生下這個女兒（老二很正常）？透過朋友傳達問話，我們開始進行算命。我說是爸爸欠女兒，女兒是來討債的，認了吧！回話來了，「不可能的，全家人就屬爸爸最疼愛這個女兒了，他的家人沒有人會相信是爸爸欠女兒的。」不得已之下，我只好看了一下因果。我說：「沒有錯，眞的是爸爸欠她的，必須爸爸用心念去與女兒溝通，求她原諒。」

直到今日，我都沒有見過這對夫妻，也沒有見過這個小女孩。我常說的一句話：「如果事情能夠用錢正當地解決掉，那實在是要偷笑了。如果是壞的因果，而雙方當事人都已經來轉世，那麼事情就會複雜些；如果很不巧地，偏偏又是轉世成爲一家人的時候，我只好說，恭喜你了，因爲那實在是很累人的一件事，雖然說那是最佳的償還方式，不過卻也是最讓人難以消受的。」

原來，在某一世裡，爸爸與女兒的關係是男女朋友，爸爸是男的，女兒是女的。在論及婚嫁的時候，男方又認識了另一位女孩，就在新婚之夜，新郎爲了想與新的女友在一起，而把新娘給謀殺了（也就是說爸爸謀殺了女兒）。接著新郎帶著新歡遠走高飛……，故事就這麼簡單。回話來了：「有可能的，他們一家人也覺得很奇怪，全家人中就是爸爸最疼愛這個女兒，每天都要抱她好幾次，可是也不知道是爲了什麼，女兒每天醒來第一次被爸爸抱的時候，她總是會狠狠地打爸爸一巴掌。就因爲女兒是智障，所以爸爸也從不以爲有什麼不對的」。

來了一位男士，我看了因果之後說：「你的右腳不好，看醫生也沒有用，醫不好的。」他答：「是啊！你怎麼知道呢？十多年了，看了好多的醫生也都沒有用。」我說：「那是因果病，查不出來的。」故事開始了，在某一世裡，他是一個約十六歲的農家子弟，家中母牛產子，他為了試試自己的臂力如何，於是一把就舉起了小牛的右後腿，在半空中旋轉了幾圈，再放下。好了，小牛的腿受傷了，從此跛了一足。但在那一世裡，請問各位，牠要如何向這個小主人抗議呢？

老天爺秉著公平原則，只好安排這一世讓他自己嚐嚐那種滋味了。我勸他：「看來你只好戒掉吃牛肉的習慣了，另外的，就是不要做劇烈的運動，因為那一隻腳是天生下來就受傷了。」結果他的回答，讓我不知道該如何繼續說下去，他說：「可是醫生叫我要多做運動」。

有一位矮矮黑黑的老婦人，年約六十歲，自己一個人來找我，丈夫早逝，她一手拉拔七個子女長大，沒想到孩子大了，一個個離她而去，任憑她生病了也沒有一個子孫回來看她一眼。她一邊掉眼淚，一邊說給我聽。（這種在我面前哭的例子太多了，男生、女生都有，所以我總是在桌子上擺著一盒衛生紙，我扮演著垃圾桶的角色，讓對方發洩一下）我不知如何開口，只好說些別的，盡量勸她凡事想開一點，一直不敢說出口的一句話就是：「那一世裡，你正好是這七個孩子的老鴇。」

我兒子同學的媽媽帶著兩位朋友來見我，其中一人的先生開刀住院，似乎情況不太理想。猜猜看我看到了什麼，畫面裡地上躺了好幾隻又大又肥的豬公，但是都已經死了，有一個人蹲在地上，正在殺最後一隻豬公以便取牠的活血。原來這個人先偷了這幾隻豬公，然後綑綁起來，刺一刀，讓豬公流血致死，爲了就是取出活血，高價出售，賺取可觀的利潤。當時，地方上正在流行一種疾病，有人謠傳說喝豬公的活血可以治病。

「你先生是不是很胖？」

「是啊！他就是因爲太胖，才去開刀減肥的。」

「可是我擔心，他會流血太多。」

「是啊！他就是做完開刀減肥手術之後，血流不止，才再進行第二次手術的。」

這個時候，我才告訴她們我所看到的因果故事，接下來我說明錯在那裡，第一，不用懷疑的是「偷」的行爲錯了。第二，當時，鄉人有急難，而此人卻想從中獲取不義之財。第三，那是豬公，是要祭拜之用的大豬公，等於是跟神仙過意不去。第四，那種殘忍的殺法，對豬公而言是一種被凌虐致死的無奈。怎麼補救呢？

比較特別的是那些豬公當場派出代表出來談判，牠們希望當事人能夠去做有關於動物的善行，例如贊助流浪貓狗的結紮等等。當時一起同來的兩個朋友也說話了：「我們也各出一份幫你的忙。」我沒有再加以說明的是這種善行也只是在彌補第四項而已，第三項，就算神仙不會跟你計較，那也還有第一項、第二項，該怎麼辦呢？各位，用一下大腦替當事人想想，該怎麼處理才好。

第一次的時候，是女兒自己一個人來，她說：「自從媽媽生病以來，我便把她接過來和我住在一起，我是想這樣子可以就近照顧她，但是媽媽卻一直吵著要回家，不想麻煩我。」我告訴她，在因果裡，也必須是由女兒來還媽媽的，因此我希望她回去告訴媽媽，安心地讓女兒繼續照顧下去。

第二次的時候，媽媽也一起來了，我勸媽媽，如果她安心養病，那麼女兒和女婿就可以早日還完因果的債，生活事業也就會更如意了。趁著女兒上洗手間的空檔，媽媽開口了：「我就是因為看到女兒和女婿都這麼孝順地在照顧我，我才更不忍心。兩個大人都要上班，回來還得張羅我這個老太婆，我不但沒辦法幫她帶小孩，反而還害了她必須多花一份心力來照顧我，我眞的很不忍心看他們忙進忙出的。」

「陳太太，你能不能和菩薩打個商量，告訴祂們過去世女兒和女婿欠我的，我不想要了，因爲在這一世裡，他們兩個對我實在是非常地孝順，如果這樣，是不是我就可以早點回去報到呢？」是啊！我怎麼從來就沒有想到過這種問題呢？我回答：「你不妨試試看！試著常常在心裡默唸著，告訴菩薩你的想法，也許菩薩會幫你的忙，你自己就放輕鬆點，好好養病。」沒多久，老太太很安祥地走了。到底是菩薩被老太太感動了，還是我算錯了，永遠無解。

有一位男士問我，爲什麼他的女兒全身到處發癢的皮膚病老是醫不好？這個例子比較特殊的是來者自己先告訴我他的困擾。對我來說，我不喜歡這種作法，因爲那會讓我自己覺得自己像是在聽完結果才「編故事」的，有點騙人的感覺，也缺少了挑戰性。我絕不是個迷信的人，相反的，我要求證據。菩薩必須先證明給我看，譬如祂能夠先說出對方的個性，或先指出對方身體那裡不舒服，先讓我這個通靈者相信祂們眞的「有能力」，我才會願意再進一步爲祂服務。
雖然不具挑戰性，但是想到自己也曾被皮膚病所苦，於是我閉上了眼。一個中年男子在灌香腸，材料中加入了一些不明物體，那一世裡，沒有人中毒，也沒有人死亡。但是這位男子心知肚明，自己淸淸楚楚地知道，爲了增加美味，他加入了有害人體的材料，雖然只加了一點點，這就夠了。我在〈黑盒子〉裡所說的，就算老天爺不知道，卻也瞞不過自己的良心，躲不過自己的黑盒子。在現今的社會中，我們能夠說不知者無罪嗎？知法犯法者，當然得接受法律的制裁，而那些本身的職責又是個執法者的人，是否要加重他的刑罰呢？
在這一世裡，這個小女生，被自己的良心懲罰著，我告訴這位憂心的父親說：「你不妨用你女兒的名義，在經濟範圍許可內，贊助消費者文教基金會去做市面上食品的檢測工作。」
說到了做善事，常常有人在臨走前，交給我錢，拜託我去幫他做善事。我都會回答對方：「我是希望你去做善事沒錯，但是要不要做，是你的事，要捐多少也是你的事，與我無關。我更沒有義務要幫你跑一趟郵局替你匯錢。」做善事，是出於心甘情願，如果有了勉強的心態，那末免太……，如果只是爲了做表面的功夫，那就省省吧，不必多此一舉了。

例子實在是多得不勝枚舉。有一位太太打電話告訴我，她覺得他先生怪怪的，不知道是不是因爲他們還沒有小孩的緣故。我問了她幾個問題：「妳先生是不是常常在睡夢中突然驚醒，全身冒冷汗呢？他是不是常常有莫名的恐懼？他是不是很喜歡小孩，但又很怕你懷孕，很矛盾的心態？」待這位太太回答「是」之後，我清了清喉嚨：「你先不要怕，要有一點心理準備，我想想看到底要不要告訴你這個因果，不過我還是說好了。」

我說過祂們既然讓我看，我就一定得說出口，同樣的也就表示祂們相信對方一定承受得了。「在某一世裡，你先生是個劊子手，是在刑場裡執行殺手的工作。他的家境很窮，又沒有一技之長，只好選擇了這個工作。你要聽清楚，那是他的工作，是奉政府的命令來爲社會除害的，他自己本身並沒有做壞事。但是潛意識裡的他卻一直害怕這些犯人死後來找他報仇，也害怕這些人投胎轉世來做他的子女，來折磨他。我要再強調一次，他一點錯都沒有，妳要慢慢開導他，讓他走出這個陰影」。

「我能不能告訴他這個因果故事呢？」「可以，如果還有問題，帶他來找我，我來慢慢地和他溝通。」碰到這種特別的例子，我都好希望我有舌燦蓮花的口才，三頭六臂的功夫，幫忙他們走過這一段辛苦的路程。

我的妹妹懷孕了，可是時機不對，兩個小孩都已上了國中，再說她也不想再生，她問我能不能拿掉。我很技巧地告訴她：「你也知道我的原則，我的個性，我尊重每一個生命，我絕不可能叫你去拿掉的，但是決定權在你自己。如果他是來報恩的，那拿掉多可惜，如果他是來討債的，那麼這一世要不到，下輩子只會連本加利一起算。我不會告訴你他到底是來報恩還是來討債，我只能教你，好好地對胎中的嬰兒說，不管媽媽是欠你的，還是你欠媽媽的，既然懷了你，我都滿心歡喜地歡迎你當我的小孩，如果是媽媽欠你的，我只會更加倍地來疼愛你。」半個月後，血崩，肚中的胎兒也隨著流掉了。

再說兩個更神奇的故事，喔！它不是故事，它是事實。

孩子的鋼琴老師懷孕了，有一天她來家裡爲小孩上課，我對她說：

「你肚子裡的小孩很生氣，很懊惱，快流產了。」

「你怎麼知道？昨天我去做產檢，醫生還特別警告我，要我小心，因爲有流產的跡象。」

「因爲小胎兒在告訴我，她常常聽到你和你先生爲了她而吵架。她覺得是她害了你們夫妻兩個吵架她很不安，所以她說她乾脆不要來轉世算了。」

「都是我先生啦！我自從懷孕以後，就覺得好累，又一直想吐，根本就無法做家事，先生又有潔癖，就一直數說我的不是，昨天晚上還罵我說少騙人了，懷個孕就沒辦法拖地，我氣得一直罵我自己說早知道我就不要懷孕了。怎麼辦？我好喜歡小孩！我不是有意的！怎麼辦？你趕快告訴我要怎麼樣才能保得住小孩？」

「你自己跟小胎兒道歉吧！告訴她你心中想對她說的話。」鋼琴老師當場就跪了下來，雙手合十，眼淚直流，自言自語地說：「孩子，媽媽不是有意的，我只是因爲懷孕感覺不舒服才會亂發脾氣，請你原諒媽媽。爸爸和我都好希望你成爲我們的小孩，我們都會很高興，也絕對歡迎你加入這個家庭的。孩子，你要在媽媽的肚子裡，乖乖地長大，時間到了再出來，我們一定會好好照顧你的。」

沒多久，老師來電話，問我孩子在肚子裡好不好。我說：

「奇怪，我怎麼看到好多畫？」

「喔！今天下午我一個人挺著大肚子去看畫展。」

「可是她說還有一間你沒帶她去看。」

「啊！對了，因爲太晚來不及了，所以少看了一間。」

「可是她又說有一間的畫她看不懂。」

「大部分的畫都是寫實畫，只有一間展示的是抽象畫，說眞的，連我也看不懂。」

產婦因爲陣痛而送進醫院，先生打電話來求援。我讓自己靜下來打坐，看到了自己進到了媽媽的產道裡，好窄的一條通道。我回電給她先生說道：「她的產道好窄，子宮又沒有力氣收縮，我建議用剖腹的。」但是她娘家的媽媽卻堅持一定要女兒自然生產，結果打了催生針還是無效，過了兩天，依然只開了兩指而已，最後，肚中胎兒的心跳實在是太快了，只好緊急送進去開刀。這個小胎兒，如今已是小學三年級的學生了，從她會說話開始就叫我「大媽」。

這是一個美髮師的故事，她是跟著親戚來見我的，那時她已懷孕九個月了，隨時會臨盆。她問我這個小孩將來的命運會是如何？該怎麼帶？怎麼教？要注意些什麼？第一次我覺得我想臨陣脫逃，因爲我實在不知道該如何開口，但是訊息來了，我就不能不翻譯、不說明。

「你產檢的時候，醫生有沒有告訴你什麼？」

「沒有，因爲工作的關係，我很忙，所以只有在剛開始的時候做了三次產檢，醫生都沒說什麼。陳太太，怎麼了？是不是有什麼問題？」

「這個孩子不太好帶，應該說是相當地不好帶，這樣子好了，如果醫生建議你做什麼時，就由專業醫生做決定好了。」其實我接到的訊息是這個孩子的腦部出了問題。

一個多月後，她又出現了，肚子也平了，我的第一句話當然是：

「恭喜！你做媽媽了，是男孩還是女孩？」

「是女孩。」

「長得像爸爸呢？還是像媽媽呢？」

「我沒有看她一眼。」

「爲什麼呢？」

「因爲她生出來的時候就死了。」

「爲什麼呢？」

「自從來你這兒，聽你一說，我覺得怪怪的，第二天就去做產檢，結果醫生說孩子得了很嚴重的唐氏症，他建議我把孩子引產出來，孩子一出來就死了，我也沒有看她一眼。陳太太，我該怎麼辦，我有沒有錯，有沒有罪呢？」

各位，給大家一個思考的空間，想一想這位小婦人在因果裡，她有錯嗎？她有罪嗎？

看了這些因果故事，各位有何感想呢？有一個觀念很重要，不要以爲帶給各位苦惱的事都是業障，都是來要債的。有些剛好是顛倒，是老天爺故意讓修行人「魔考」的考題，考考這些來自不同時空的修行者，到了花花的人世間，是否只顧著享樂而迷失了自己，還是繼續秉持著服務的理念，一步一腳印地走下去。加油！不管來的是業障或是魔考，我們都必須勇敢地面對。

# 屬於我的

要再重回現場，畢竟是不太好過，只要想起，也總是鼻頭一陣酸，眼眶一片紅，但是爲了讓各位了解「她也只不過是如此的一個人」，我願意讓自己再難過一陣子。以下的轉世故事，我不知道發生在什麼朝代，也不知道在那個國家，更不知道它的轉世先後次序。但是我會淸淸楚楚地交待我是怎麼知道這些個故事的。既然我有心破除一些莫須有的迷信，我自己當然就必須以身作則。

這些年來，我從來就不曾問過祂們有關於我自己或家人的任何一件事，也許很多人會覺得很奇怪，爲什麼我自己會算，反而不爲自己算一算呢？就是因爲自己會算，才警覺到不管過去世的因果如何，在這一世裡，如果我不好好的過活，那麼再多的福份也是會被我消耗掉的。我以同樣的理念教育我的孩子，我告訴他們：「日子是用來學習的，不是用來混的。」，孩子們也知道媽媽的個性，一向是說到盡量做到的人，所以也只好乖乖地跟著，一步一腳印地走下去。

四周的風景是歐美的那種格調，大花園、涼亭、鞦韆……一個下午茶的時段。我穿著小碎花洋裝，三十初頭，先生在一旁站著，我猜想我的家境大概是不錯，先生也溫文儒雅，有一個八、九歲的小男孩在我倆身旁嘻鬧著，那是我的養子。那一世我沒有生育，與先生的感情也是淡淡地……。這是〈植物人〉那一章中，我與那位年輕工程師的因果，他是我的先生。

整個畫面是銀白色，路上靜悄悄的，原來是冬天下雪的深夜。在一戶大宅院門外的雪地上，有一手提的小搖籃，搖籃裡橫躺著兩個小女娃，（通常搖籃是長方形的，娃娃的頭腳是在長邊的兩側，可是這兩個女娃實在是太小了，所以她們的頭腳卻是在寬邊的兩側）喔！居然還是對雙胞胎呢！我的畫面就只有如此，而且還是靜態的。

故事跟著竄進來了，在皇宮裡，有一宮女懷了皇帝的孩子，生下來之後，宮女病危，深怕孩子遭遇不測，趕忙叫身邊的人將這兩個女娃送到有錢人家的大門口外，讓人認養。又那會知道這員外全家人正好外出數天，兩個女娃就這樣活活地給凍死了。員外回來一看……。這一世裡，員外變成了一個不太愛出家門的人，而兩個女娃成了非常好的朋友，妹妹從姊姊那兒學到了好多好多。這是朋友問起我和她有沒有因果關係時看到的，猜猜看，我是雙胞胎中的姊姊或是妹妹呢？

我與父親騎著駿馬，奔馳在大草原中，我的年紀大約只有四歲，跨坐在父親的前面。畫面一跳，我坐在父親的後面，小手抱著他的腰，頭斜靠在他寬厚的背上，好舒服好滿足的感覺，這時候的馬兒是漫步的。**不管馬兒是奔馳還是漫步，在看這兩個畫面的那一瞬間，我都可以很清晰地感覺到風兒吹過臉上的氣息。**

坦白說，有那麼一陣子，上了床，我只要觀想著這兩個畫面，再加上風兒吹拂過臉上的感覺，一下子我就回到了草原，進入了夢中的故鄉。

持續了好幾個月之後，有一天下午，知道訊息來了，來的那個磁場又特別的強，我都快受不了了，只好進入房間內，乖乖地閉上了眼。我的視線是往斜前方看的，看到了四周圍站了好多人都在靜靜地向下看著我，原來我是躺在地上。有一個人在我臉上、身上比劃著，手上還拿著香，感覺上那個人好像是個巫師。父親就站在我的腳後方，不語，臉上的表情好怪異，我從來就沒有見過。

我知道了，他是一個掌軍權的大人物，而我是他的掌上明珠。我還是只有四歲，吵著要自己騎馬，他拗不過我，只好讓我自己騎騎看。結果才一上馬，我就被馬給甩了下來，畫面所呈現出來的正是我在被急救的情形。畫面一跳，我看到了一個簡簡單單的小土堆，唉呀！我已經回去報到了，沒想到我還是沒有被救活，我想起了我那可憐而又內疚的父親。可是，爲什麼，我一直沒有看到我的母親呢？

這個因果故事，居然分成前後兩段，中間還相隔了好幾個月，前半段是我閉上眼睛正在享受朋友爲我做背部按摩的時候，被「強迫」看到的。而後半段則是我在看報紙的時候，突來的訊息。自從後半段上演了之後，我再也不敢懷抱著草原聆聽著風聲入睡了，因爲我實在不忍心再看到父親哀戚不語的容貌。

所謂的「強迫」就是我只是感覺到我「可能」要閉上眼睛去收訊息，至於會是什麼樣的資訊，我一概不知。也許只是一些預告片，也許是我過去世的因果，也有可能是祂們來了，不然就是我飛出去了，飛到不知名的時空和祂們會合了。如果你問我，這種情形通常發生在什麼時候，答案是，沒有時空的限制。有時候甚至於是發生在我開車的時候，那個時候就比較特殊了，眼睛絕對是張開的，可是畫面依舊清楚，故事照樣進行。幾次之後，我注意到祂們通常是選擇我行駛在土城往三峽的環河快速道路上，那是我回家的時段，約下午五點鐘左右，路只有一條，又沒有紅綠燈，所以祂們才會放心地訓練我一邊開車一邊收訊息。

我是從離地大約三公尺高的高度往下看的，看到了房內有一張床，好簡單但也好漂亮，四根床柱往上延伸著，最上面是鑲金的水滴型裝飾，床上舖蓋著一條淺紫色的柔軟被子。房內除了那張床外，其他地方都是空空蕩蕩的，只有風從靠邊的窗戶吹進來，窗簾隨風在輕輕擺動著。我知道那是我的床，可是我並沒有躺在那兒，整個畫面給人的感覺就好像時間是靜止的。那是我在聽到音響播出西藏喇嘛的唸佛聲中，突然不能自已地放聲大哭，淚流滿面。這不會是沒有原因的，很自然地我閉上了眼睛，看到了如上的畫面。

爸爸在外地服務，媽媽也因爲難產死了，從小我就和外婆一起在山上過活，外婆好好，常帶我到溪邊洗衣服。爸爸工作繁忙又重男輕女，難得回家來看我一次，就算回來也只是放下家用錢轉頭就走，印象中，他根本就不曾抱過我，拉過我的小手。畫面就停在小女孩殷切地望著父親的手，期待他牽起她的小手和她說說話。沒多久，因為家中沒錢，外婆只好帶著我搬家，從此和爸爸失去了聯絡。過一陣子，外婆和我都死了。

這個故事又是被強迫看的，共出現兩個畫面，一個是一老一小在溪邊洗衣服，一個是小女孩望著父親的手。解析畫面的當時，我知道我又夭折了，而且知道是餓死的。八十七年的時候，在一次催眠當中，我才看到了自己嬌小而又蜷曲的身子倒臥在山路邊。原來外婆過世了，傻傻的我才只有五、六歲，一心一意想要找爸爸，於是迷迷糊糊地在山路中走著，沒想到就因此而餓死在彎曲小路靠山壁的這一側。

目睹了一個曾經是自己的小女孩，卻因為思念父親而餓死在山路上的畫面，那種震撼，當場就撕裂了我的心。我堅強地告訴自己，在這一世中，如果能夠找到這位曾經是我父親的人，我一定要好好地握緊他的手，親口告訴他，告訴他，我這個做女兒的其實也還不錯，並不輸給男孩子的。

又是一片大草原，我是一位新娘子，但是表情落寞，少了新娘子該有的嬌羞與喜悅，年紀差我一大截的弟弟則是坐在一旁，很開心地望著我。原來父母雙亡的我，帶著一大筆財產及弟弟嫁到男方家。婚後，先生不安於室，我又因爲難產，母子雙亡。先生心知有愧，於是對這位小舅子百般照顧，以彌補他對妻子的虧欠。這是我與那位通靈的朋友對一位我們所共同認識的男士感到好奇，她先看到了他們兩人的因果，接著反問我，我與這位男士到底有沒有因果的時候，祂們讓我看到的。

我又看到我結婚了，這回我可是一位很帥的新郎，帶著新婚的妻子坐船回鄉，我站在甲板上，悠悠哉哉地欣賞著風景。畫面往前跳了一格，原來在結婚之前我上京應考，路過一戶農家，夫婦二人正爲了無生育兒女而煩憂，而家中的母牛也即將臨盆。我也只不過是剛好路過而已，來個舉手之勞，幫忙這對夫婦一下，讓他們的母牛順利生下小牛，就繼續上路了。沒想到過沒多久，這位善良的農婦懷孕了，他們夫婦二人就這麼樣地誤以爲我是他們的大貴人。

畫面又跳了一格，暴風雨來了，船翻了，會游泳的新郎卻爲了救新娘而雙雙溺斃。這個故事，是在〈如來的小百合〉之後，祂們繼續讓我看的。在這一世裡，這對農家夫婦變成了我的雙親，各位就可以想像我的日子會是如何了。新娘變成了好友，一問之下，她有恐水症，爲此，我倆立志要好好學游泳。可是直到今天，她還是她，我還是我，她的頭從來就沒下水過，只能在池邊打水；我呢？會蛙式會自由式，換氣卻老是學不會。

好亮麗的藍天，好刺眼但又寂靜的沙漠，我正陷在恐怖的流沙中，只剩下一個頭露在外面。頭上纏著白色的絲巾，膚色是古銅色的，眼睛睜得好圓好大，汗水直流，沒辦法，快沒氣了。右斜前方突然出現了一匹可愛的小白象，背上還蓋了一塊錦緞。下一個畫面，我趴在象背上，小白象馱著我走出了沙漠。那時的我大約二十歲左右，個頭並不高。整個故事，沒有前文也沒有註解，直到今天還是個謎。

六、七年前，一位女士在夢中看見一個老和尙，在夢中她只知道那個人叫做廣欽。醒來之後，她覺得很奇怪，爲什麼她會夢見一位老和尙，而且還會知道他的名字呢？於是她問她先生：「有沒有一位老和尙叫做廣欽的呢？」經過朋友的介紹找到了我，我們相約在承天寺會合。這位女士，是位虔誠的天主教徒，對佛教界很陌生，也不曾去過承天寺。

在廣公紀念堂裡，我看到了他倆的因果故事。這一次比較特別的是，我看到的是連續性的鏡頭，而不是靜止的單格式畫頁，就像是早期用錄影機拍攝的影片，少了聲音而已。畫面的開始是在一個私塾裡，教室的中間是條走道，兩旁各坐了約十多個學生，個個都像是十來歲的小男孩。

鏡頭一轉（不是一跳），我看到了右側這邊，靠走道第一排最後一個位子，坐了一個憨憨的大個兒，他沒有在專心聽課，只是一直把頭向後轉。原來他的後面有一個窗戶，窗戶外，躲著一個小男孩在偷偷地聽課。另一天的開始，偷聽課的小男孩很早就把教室打掃乾淨，也幫老師倒了杯茶水，趁著學生還沒來之前，趕快躲在老師的講桌下。鏡頭又變，老師很認眞地坐在講桌前講課，可是左側靠走道第一排最前面的那個學生，卻一直望著講桌發呆。我猛然發現，那個男孩居然是我，我之所以發呆是因爲我發現有個人在講桌下，躲在老師的衣襬內。

我知道了，原來老師看到這個負責打掃的窮小孩很愛聽課，於是偷偷地教他提早打掃完畢，躲在講桌下等待上課的開始。這一天，私塾的負責人來巡視，窮小孩一緊張，馬上鑽進老師的衣襬內，只是負責人久久不肯離去。畫面帶到了一個小土堆，旁邊有一老者拿著書本對著小土堆在喃喃自語著。發生了什麼事呢？猜猜看！窮小孩被悶死了！那位好心的老師心裡好難過，親手埋葬了小男孩，並且終其一生守在墓旁爲窮小孩講課。

那個老師就是廣欽老和尙，那個窮小孩，就是這位女士。我是一邊閉著眼看，一邊描述給她聽，當我講完睜開眼睛的時候，我才發現女士哭了，她很感性地爲這個因果下了一個總結：「我好幸福！」

在山路上，一對年輕的夫婦帶著一對小兒女走在回娘家的路上，爸爸牽著兒子，媽媽抱著才幾個月大的小女兒，小女兒就是我。半路殺出了一群強盜，殺死了這一對年輕的夫婦，搶走了所有的財物，也抱走了我的小哥哥，留下驚聲大哭的我依舊躺在媽媽的臂彎裡。來了一位捕快，他因爲辦案經過此地，救起了小女娃，在遍尋不著她的其他親人之後，只好自己一手帶大了她。

小女娃的親舅舅在知道自己的姊姊、姊夫遇害後，著急地到處尋找這一對小兄妹，就連外祖父也傷心地病了，可是卻都一直沒有他們的訊息。後來這位捕快被誣陷，養女爲了替養父洗刷冤屈，寫了遺書之後，上吊以明志，就在女孩斷氣的那一剎那，養父也被砍頭了。在這一世裡，自從知道因果故事之後，爸爸、媽媽、小哥哥、養父，舅舅等人陸續地出現了，只是沒多久，有的死了，有的入獄了，有的……。

唉！我還能說些什麼呢？那些橫死山路的場景，上吊的無奈，以及小嬰孩的哭聲，讓我自己很生氣，氣祂們爲什麼要讓我看這些已經是歷史的鏡頭。可是我又有什麼能力可以去拒絕呢？當時的我正在陪著孩子上鋼琴課，祂們居然強迫我在這麼美好的氣氛當中去接收這種訊息，各位，你們不覺得祂們太殘忍了嗎？我盤腿坐在琴房的一個小角落接訊息，卻哭得害鋼琴老師不得不停下課來安慰我。

最近的一次是在八十九年的十一月中旬，我在美容院燙頭髮，趁著這個空檔，我閉起眼來休息一下。我說過，祂們要強迫我接收訊息的時候，絕對不會有時空的限制。先出現一位男士，約四十多歲，稍胖的身材，右手牽著一個小女孩，約六、七歲。兩個人走在沙漠上，走在山林裡，最後在一處海灘邊落腳。

小女孩長到十五、六歲，那位男士死了，女孩將他的屍體放在一艘小船上，然後從沙灘往大海推去，任憑小船在大海漂泊。女孩很無依地走上岸，想了又想，轉身往大海泅水而去，趕上了那艘小船，爬上去，斜躺在男士的左手邊，日曬雨淋，也死了。不用說，我也知道那小女孩是誰。

其實畫面大部分都是很簡單的，只會看到主題，周遭都是模糊的，也沒有什麼血腥或不堪入目的場面，但是就因爲我會同時收到畫面所代表的故事內容，所以當我看到連續性的畫面時，我常會對對方說：「我不知道故事的結果會是怎麼樣，我現在也不知道我看到的人指的是這一世裡的誰，反正我一邊看，一邊畫給你看，一邊描述就是了。」說來也是奇怪，講到最後，故事總能和這一世搭上線。

各位，不曉得您有沒有注意到，那麼多世的我，大部分是女生居多，似乎也總是「不得好死」，年紀輕輕地就走了。「媽媽」這個名詞，對我來說，很陌生，沒有享受過所謂的母愛，自己也都來不及當媽媽，倒是跟父執輩的比較有緣。日子好像一直是很單純的，也沒有什麼親戚朋友。怪不得通靈之後，我發現我自己越來越不喜歡與人應酬，只想遠離人群，非常渴望單獨自處的時光。

也許就因爲我那麼多世的夭折，所以腦袋瓜比較天眞比較單純，也就因此被祂們挑中，利用我做一個通靈人。祂們常告訴我人生是用來學習的，也許就是看我多世如此無依，不知道什麼叫做手足情深，不知道什麼叫做「大愛」……，所以在這一世裡，特別安排了一個大大的家族送給我，讓我沈浸在濃濃的愛意中。但也不能否認，內心深處，我還是浮萍一片。我一直在尋找，尋找眞正的同伴，尋找落腳的地方，尋找眞正的家。我很淸楚地感覺到我只是來這裡學習而已，實際上我並不屬於這裡。

# 如來的小百合

一個冬日的午後，暖烘烘的太陽透過落地窗灑在我與朋友的身上，斜躺在籐椅上，啜飲著她親手調製的咖啡，聽著音樂……人生還有什麼不滿的呢？

「有人來了！」我說。

「管祂是誰，告訴祂，有事等一下再說，喝咖啡要趁熱。」

「可是祂不准我喝，祂說要說故事給我們聽。」

「那你自己去收訊息好了，不關我的事，我的咖啡比較要緊。」

朋友一臉幸災樂禍，繼續享用她的美食，而我卻再也無法將咖啡往嘴裡倒，祂非要我接收不可，而且是馬上，一刻也不能等。認了吧！反正又不是第一次這樣對待我。乖乖地放下了杯子，坐好，閉眼。各位我必須稍微說明一下，現場有兩個女人對不對，來了一個祂，首先是祂帶我飛出去了，找到了地點之後，電影才眞正開始。我一下子半睜開眼睛（因爲魂還沒有回來），比手劃腳地描述給朋友聽，一下子又得趕快看片子，做即席翻譯，好忙喔！我不知如何下筆寫這一篇，只好就像錄音機一般地從頭開始播放，各位，你就只要把自己想成也是在現場的一個聽衆就行了。

咿？怎麼會是達摩呢？（祂老人家很少來，不過我非常喜歡祂）祂說要帶我去一個地方，走就走啊！誰怕誰啊！（各位，別誤會了，我們跟祂們眞的就是這般地交往，沒大沒小，見笑了！）

好多山，好美的山，我不是在山上，我是在半空中，從半空中往下看到好多的山。奇怪，這是那裡？山谷中還有河流，咦？有一個地方在冒煙，煙小小的，可是慢慢地隨風往上飄。嘿！姑娘，既然是達摩來帶路，那麼會不會是少林寺的那一個山呢？妳知不知道少林寺在什麼山啊？「好像在武當山吧！」朋友答。管他的，反正不像是桂林的山就是了（因爲我去過桂林）。

祂叫我順著煙往下，咦？怎麼好像來到了一個像是地底下的山洞裡，還有水流的聲音。討厭！看了老半天，也不知道在看什麼，拜託！達摩先生，我的咖啡涼了。我看到水了，祂叫我順著水流走。老天爺，祂到底在搞什麼啊，到底要走到那裡呀？

我怎麼變成在爬山了呢？全身都是白的衣服，大概十七、八歲，嘿嘿，長得還不錯，滿高的，大概有一百六十五公分，比我現在的樣子還要瘦，手上還提著一個小包包。喔！對了，我告訴你，就像是孝女白瓊的那種打扮，只是頭上沒綁白布巾而已。「妳少來了，我們這種歐巴桑的身材怎麼跟小姐比？」朋友諷刺著。

祂們說，喔！等一下，我知道了，祂們說我是一個有錢人家的獨生女，父母在一次意外中雙雙喪生了，留下了一大筆財富給我。我遣散了家中所有的僕人，把錢也全部捐出去了，只留下了一點點簡單的換洗衣物，準備要到這個山上的一座寺廟，因為聽說這山上有一座寺廟滿清靜的。

我看到了一個男的，約四、五十歲，壯壯的，不苟言笑的樣子。啊啊！我知道他是誰了，就是那個×××，（一個我們所共同認識的朋友）他的身上扛著一大捆粗麻編的繩子，就像我們現在拔河比賽用的那種繩子，可是比那個還要細一點就是了。那個麻繩，從中心點開始繞，由裡向外，繞成一個圓圈圈。喔！我知道了，他不住在這座山，他是住在隔座山的一個樵夫，平日靠搓麻繩拿到山下賣維生。

他的痲繩掉了，一直滾一直滾，剛好滾到我的面前。我剛剛不是說我要去那個廟嗎?所以我是在上山，那他要拿繩子到城裡賣，他是在下山。我只看到我的前面有痲繩掉在山路上，但是我知道應該是有人不小心掉下來的，於是我就彎下腰撿起最後面的這一端，開始也繞圈圈。

哈哈!有夠好玩的，一個在山上，一個在山下，繩子的那頭，繩子的這頭，兩個人都同時在繞繩子。喔喔!兩個人碰在一起了，這個女的笑笑地把繩子交還給他，那個樵夫看了這個女的一眼，說了聲謝謝，就分手了。眞是的，兩個人什麼話也沒多說，有夠瀟灑。一個繼續上山，一個繼續下山。

拜託!有完沒完?怎麼這麼長?等一下，我看到了一個小尼姑，腳怪怪的，走路一跛一跛的。哈哈!祂們告訴我說那個小尼姑就是妳。喂!小姐，借問一下下，妳的腳有沒有怪怪的呢?「沒有啊!雙腳好好的!」朋友答。我看到妳蹲下來用手指頭摸我的裙襬，唉呀!還有聲音噢!那個聲音就是那個絲呀、綢呀那種布，互相摩擦，搓來搓去的聲音。小姐，妳那個表情好好玩，好像好羨慕我的衣服，拜託!妳眞的是很不上道，羨慕什麼嘛，我一整身穿的都是孝服。

我看到我們兩個人在一起唸書，原來我已經到了這座寺廟，我教妳唸書，我們變成了好朋友。奇怪？怎麼沒有看到住持或是其他的師父呢？祂們說，這座廟只住著一個住持和一個小尼姑，住持剛好外出一陣子。妳是因爲跛腳，從小就被丟在廟門口，是住持收留了妳，把妳養大的。啊！祂們說那個住持就是×××，（另一個共同的朋友）哈哈哈！千萬不要讓他知道了，否則他一定會很得意，說他是妳的師父。「算了吧！對我少來這一套，我才不可能叫他師父，叫他師兄就很不錯了」。

啊！啊！怎麼搞的，怎麼變成這樣子呢？「怎麼了？」朋友好奇地問。等一下，我先看清楚。妳知道嗎？我們兩個人都上吊死了。我身上穿的還是那一套白色的衣服，還是我先把妳弄好，先讓妳上吊之後，我才自己再上吊。奇怪？怎麼會這樣？啊！我看到了，我看到上吊用的那根繩子了，祂們說那個繩子就是那個樵夫賣給住持的。

我知道了，原來師父不在的時候，來了一大群的土匪，見我們兩個是女孩，好欺負，把我們給輪姦了。「怎麼會這麼慘！怎麼會有這種命呢？」朋友也不勝唏噓。土匪走了之後，我們兩個選擇了上吊自殺，我眞的是有夠倒楣的了，被土匪強暴了，還要動手幫妳上吊。「那妳說嘛，到底我是要謝謝妳還是要生妳的氣呢？」

咦？我看到了一個土堆，新的土堆。喔！原來那個樵夫在山下聽到有一群土匪路過此處，於是趕忙收拾行囊回家，又想到這附近有一座寺廟，住著一個住持和一個小尼姑，於是先彎過來看看他倆是否無恙。沒想到看到了兩個上吊自殺的女孩，也看到了自己賣給住持的繩子居然變成了這兩個女孩自殺的工具。再看看那一身全白的女孩，他想起來了，就是在山路上幫他撿起繩子的那個白衣女孩。他好難過，於是就幫我們兩個收屍、埋葬，合葬在一起。

等一下下，土堆前面有一個墓碑，可是都沒有刻字。「沒辦法，不能怪他，那個時候，他一定不知道我們的名字。」朋友爲這位樵夫解釋。

等一下，我看到墓碑前面有一個花瓶，瓶子裡有插花。等一下，等一下，好美喔！我告訴妳，那個鏡頭一直慢慢地往後拉，唉呀！拜託請等一下嘛！我一定要先說清楚才行。（我半睜開眼睛，對著朋友開始比劃了起來。）我告訴妳，我是先從半空中看到了土堆對不對，然後那個鏡頭往後拉，我才看到土堆和土堆前面的墓碑，再往後拉，才又看到花瓶和花，我這樣說，妳懂不懂？接下去祂們的鏡頭又由遠處慢慢往前推進，很慢很慢地推，現在是停在那瓶花上面就是了，停在花的花瓣上。

我又閉上了眼睛，繼續看戲。好漂亮的花，白色的，花瓣上面還有好多滴的露水，就像電視上的美容廣告，叫做晶瑩剔透。奇怪？到底是什麼花啊？現在鏡頭又拉開了一點點，啊！妳知道嗎？就是那種我最喜歡的百合花，小時候我們常常看到的那種百合花，不是現在花店賣的那種香水百合。好漂亮！還有朝陽照在花朵上面，好美！好美！「我知道了，那種叫做野百合！」朋友終於知道我在說些什麼了。

哇！沒有了！怎麼就這樣沒有了？（我睜開了眼，但是我卻仍繼續在說著故事。）

這個樵夫自從埋了我們兩個人之後，每天總是採一大把山中的野百合，放到我們的墓前，陪我們坐一陣子。

「好幸福的我們！」朋友感歎著。「好悽美！」我用好悽美回答她。接著好幾分鐘，兩個人都沈默不語，就只是呆坐著。朋友突然開口：「怪不得我們兩個都好喜歡唱野百合也有春天的那一首歌。」歌聲響起。

彷彿如同一場夢，我們如此短暫的相逢。

你像一陣春風，輕輕柔柔吹入我心中。

而今何處是你往日的笑容，記憶中那樣熟悉的笑容。

你可知道我愛你想你怨你念你，深情永不變，
難道你不曾回頭想想昨日的誓言。
就算你留戀開放在水中嬌艷的水仙，
別忘了山谷裡寂寞的角落裡，
野百合也有春天。

# 為什麼？

寫這一篇，必須事先聲明一下，絕對不是要擋人財路，只是太多的疑問有待別人爲我指點，也許我也有答案，但總是希望聽聽別人的想法。

雙胞胎，同父同母，同時同地出生，可是到頭來，絕對不會是相同的命運，爲什麼呢？如果不同的命運是因爲名字的關係而有所不同，那麼同名同姓的人就可以把他們之所以會有不同的命運歸諸於不同的父母，不同的出生時地了。眞的是這樣子的嗎？當然了，世界上的每一個人在出生時那一剎那的所有條件因素，絕對不會是完全相同的，也就是因爲如此的「天上地下，唯我獨尊」，所以才更值得我們看重自己，珍惜自己的存在。

如果我們有辦法，計算出所有不同的條件，那麼事情也就好辦多了，也許老天爺眞的是有一部超大型電腦，可以輸入這麼多的不同因素，而決定每一個世間人的一生。但是，地球上的國家那麼的多，種族又複雜，戰爭又不停……那會有一個固定不變的「定數」供我們研究，讓我們參考呢？很簡單的例子，一樣是中國人，要用繁體字，還是用簡體字來研究姓名學呢？

如果用坊間的算命方法，那我只好說「出生為人」實在是有夠悲哀的了，為什麼？因為他不能選擇所有的一切條件，例如：國家、種族、父母、出生地點、時間、性別、姓名……等等。想改八字，那麼來個剖腹產如何呢？但，做父母的有辦法可以選擇兒女嗎？做兒女的難道又有什麼辦法可以選擇父母呢？長大了，八字改不了，總可以改個名字吧，但是，有用嗎？你一定可以跟配偶白頭偕老嗎？你保證一家人從此過著幸福美滿的日子嗎？你說，那麼我乾脆不結婚，可以，但你有把握終其一生無憂無慮，自在又逍遙嗎？

我有一個朋友會用姓名學幫人家算命，我們也常思考這個問題，改名字之後眞的能改命嗎？也許是時間上的巧合，剛好這個人的命運走到這個地步，不知情者，還以為是自己運氣好碰到了貴人，得到了貴人的指點。說不定不用改名字，不遇到貴人，也照樣會走運，照樣活得好好的。另外的一種講法就是，此人的命運就是

「被註定」出生在會幫他改名字的家庭。有沒有效，心安就好。就如同我這位朋友常說的一個笑話：「想要改名字，可以，連姓一起改！」

依我個人的意見，我寧可認爲是在改了名字之後，因爲對新名字有了新的一番見解，繼而對未來抱著希望與期待，就在這希望與期待的過程中，不知不覺改變了自己的個性，從悲觀的怨天尤人漸漸地轉變成爲樂觀的積極進取，那麼，久而久之，就因爲這種「心轉」的改變造成了命運的不同。請想一想，改變您命運的動力到底是名字呢？還是您的心態，您的行爲呢？

再來，談談中國人最講究的風水地理。一般來說，我們只是看到當前的景象，很少人會料到也許幾年之後前面蓋了高架橋，後面挖了地下鐵，旁邊變成了高速公路的預定地，被政府強制徵收了……，太多的變數，改變了原本的估算與期待。至於地底下的地氣流動，又有幾個人看得到呢？更重要的一點，又是自轉又是公轉，地球難道是靜止不動的嗎？而那些看得到，那些知道的人，他們又一定能夠得到嗎？就算得到了那塊地，又難保那一日不被「破相」。

很簡單的一個例子，活生生的範本，目前「秦皇陵的兵馬俑」不是正在台灣展覽嗎？想想那要有多大的權力才可以「號召」（我姑且不用「逼迫」）這麼多的人力來進行這個工程？而我們從歷史上，也知道秦始皇一心一意想求長生不老的丹藥。憑他的一切，他還有什麼辦不到的呢？但是肉體畢竟是肉體，不但沒有長生不老，他的「王國」也只在歷史上佔了一小格而已。（話雖如此，但是我個人還是很欽佩秦始皇的一些遠見，譬如統一文字、貨幣、度量衡、車軌等等。）

曾經有一對夫婦和他們的家人一起來找我，一坐下來就對我說：「陳太太，你知不知道我媽媽的墳墓在那裡呢？」天啊！這是個什麼樣的問題呢？他以為我是誰啊！我很好奇地問他們：「對不起，我實在不清楚你們到底想要知道些什麼。」其中一人告訴我：「陳太太，事情是這樣的，我哥哥聽地理師說，我媽媽的墳墓地理不好，會破壞到他們那一家人的福氣，於是趁著半夜，把我媽媽的屍骨偷偷挖走，另外找別的地方埋葬，可是他都不肯告訴我們，到底他把媽媽葬到那裡去了。清明節快到了，我們卻不知道要到什麼地方去掃墓。」

我的父親，聽說我會看地理之後，要我對家族墓提出我的看法。（我的家人都是從外人的口中才知道我有一些奇奇怪怪的能力。剛開始的時候，家人都認為我是走火入魔，刻意和我保持距離，我也只好隱忍著內心的酸痛，照樣為別人服務。祂們一直鼓勵我告訴我要忍耐，祂們會讓外人來證明我的能力。直到白案發生，家人才眞正承認我的能力正視我的存在。各位不妨算一算，這種通靈人的悲哀，我忍了幾年。）

這個家族墓當初是請另一個地理師鑑定的，也早就整理妥當。我很客氣地問我爸爸：「爸爸，我知道這個家族墓總共請進了好幾代族人的骨灰，在世的後代子孫就分成了好幾支，總共就有兩三百人。如果你是要我改變一下，那麼你必須要先告訴我，到底是那一支系想要旺盛呢？決定了那一支系之後，你還要告訴我，到底是要選擇在那一代興旺呢？舉個例，是要在你這一代旺？還是兒子這一代旺？還是孫子那一代旺呢？還有最重要的是，族人裡面誰有權力去決定改變家族墓的地理呢？你要先說清楚，我才能講明白。」結果呢？可想而知，我省了一番口舌，也不必上山看現場了。

世間人到底在求什麼呢？求永生？還是求永恆？在台灣土地這麼的有限，環保這麼的重要，可是我們卻還常常會聽到有人感嘆著說：「唉！連死人都要爭地。」拜託！想清楚！可千萬別把這種責任都怪到死人頭上去了。眞的是死人在爭地嗎？活的人在生前，爲自己看方位，爲自己覓地，爲自己買靈骨塔；一旦人死了，他的子孫爲了以後著想，於是爲他看方位，爲他覓地，爲他買靈骨塔……不妨好好地深思一下，如果我建議將上面的那一句話改成爲——是活人在爲活人爭地——各位以爲如何呢？到底要等到什麼時候，世間的「活人」才能夠眞正學會放下，瀟瀟灑灑地丟下這個臭皮囊呢？

陽宅又該怎麼辦呢？（我眞的會引起五術界的公憤了）如今大部分是大樓是公寓，光是想到管道的通暢，就不知該如何下手（應該說是不忍心下手）去改廚灶，改衛浴了。至於大門，床位等的方向，請問，如果一家人是由幾個人組合而成，那麼到底該依誰的命盤去排方位呢？以父爲主？以母爲主？還是以將來的希望將來的寄託——孩子們爲主呢？那又該依那一個孩子呢？這麼說來，爲了看陽宅還得先排一家人的命盤，這種事情眞的是「說來話長」。

我的同事，她的公公非常相信陽宅地理這一回事，她說每年一過完農曆春節，她們家就得來一次大搬動，首先當然得對照羅盤在牆壁上畫出不同的方位名稱，然後再根據每個人的八字來決定這一年這個人該睡在那裡。結果每年總是在敲敲打打中度過，好不熱鬧。只要一進這個社區，問說：「我想要找那一家大門是斜的人家。」保證有人會帶路。至於室內呢？有一年，孫子被迫睡在客廳的內側；有一年，老人家自己睡在客廳一進門的地方；更有一年，特地另外再買了一座懸掛式的小佛桌放在卧室裡。自從老人家中風後，對於陽宅地理更是深信不疑，兒孫也沒輒。媳婦問說爲什麼她夫妻倆沒有分開排八字呢？公公回答說：「我只根據兒子的八字算。」

我是住在土城中央路的時候才會通靈的，那時候我住的是一間樓中樓的房子。相信嗎？樓下的佛桌不偏不倚地就正對著上樓的樓梯，而樓梯旁就是廁所。這個佛桌的位置是我自己決定的，那時候我還不會通靈，只是我以爲菩薩供奉在這裡，全家人走來走去，一定都看得到祂們。我總是一廂情願地認爲再好的陽宅地理都比不上一個乾淨而又溫暖的窩，以前是，現在是，將來也一定還是如此。就用一句話總結吧！這是我那一向很講究風水陽宅的父親，在走過了人生的七十寒暑之後，有感而發的對他的子女說：「沒什麼啦！福地福人居而已，做人比較重要」。

我不是反對算命，看方位……等等，上天有好生之德，在這麼多的卜術之中，祂們總是會透露出部分的玄機，爲的就是讓世間人或多或少的能夠猜測到或學習或領悟到它的一些內涵。我們也可以用「統計」的觀念來看待這些理論、原則，或許也可以稱它們爲「考古題」。如果各位以爲改名字、改方位……可以讓各位覺得心安，我絕不反對，但是通常會有一個情形，就是十個師父起碼五個答案，到底是要聽誰的呢？如果費用又不便宜的話，那怎麼辦呢？我的建議是：不假外求，往內求，將自己的命運，完完全全地操縱在自己的手中。

坊間上，動不動就說要「辦法會」，要「超渡」，要燒金紙給神明，要燒銀紙給祖先，給好兄弟……，我無法說這是個陋習，我只能說這是「民俗」了。要到那個時候，宗教信仰才會跟著時代在改變呢？幾千年前的東西，如果還能適用在現代，那是指它的精神，而不是它的儀式。說個笑話，現在不是很流行說：「以前用現金就燒銀紙，用支票就燒玩具支票，而今用信用卡、簽帳卡，當然就得燒假的信用卡、簽帳卡。」那麼我請問各位一下，如果以後只要按指紋就可以了，那麼要燒誰的指紋呢？

很簡單的一個觀念，姑且不管「花錢多少」的問題，（我常說的口頭禪就是只要用錢能夠正當的解決問題，那就好辦了。）只要想想當整個地球村都在提倡環保，而號稱「美麗的寶島」——台灣，卻還在砍樹木、印紙錢、製造空氣污染……，我真想對老天爺說：「就把台灣給放棄了吧！不值得的。」當我們口口聲聲地指責那些爲了生計而種植檳榔的人，破壞了水土保持，造成了土石流，有沒有回過頭來想一想，其實有些宗教界的觀念所造成的錯誤儀式也好不到那裡去。

就算各位反駁我說：「我們又不燒金紙銀紙！」是啊！那我倒要請問各位了，在山坡地蓋了那麼大片的寺廟，又爲的是什麼呢？難道是菩薩神明指示要住那麼大間的房子嗎？這種菩薩不拜也罷！我想是活的人想要住那麼大間的房子吧。當然了，也許會有人說那是爲了大家共修的方便，那麼我再請問，唸經是唸給自己聽的，還是唸給菩薩聽的？如果做人的道理不懂，就算所有的佛經都能倒背如流，那也是多餘的了。

幾年前，我曾經在板橋市後埔國小旁的一家佛教文物流通處，和一位在家居士辯論。先談「放生」的問題，我說我不贊成放生，因爲在台灣所謂的放生，往往是拜託別人先去抓來，我們花錢去買，然後再花錢請師父做放生的儀式。這樣子，其實只會造成更多的殺生而已。他卻說他的法師以及經書上都一再的表示，放生的功德非常的大，我只好跟他道歉，因爲我沒有拜師也看不懂佛經。

那時候，正好是國小下課的時間，我轉移目標，問對方：「你看，孩子們下課了，如果這個時候，有兩個地方都須要人手幫忙，你要選擇那裡呢？一個就是十字路口需要一個義工幫忙指揮交通，讓小朋友能夠安全地通過馬路回家，另一個就是樓上的佛堂馬上就要晚課了，卻少了一個打磬的幫手。這兩個工作你都會做，但在這個時候，你要選擇做什麼呢？」他不假思索地回答我：「我要到樓上打磬！」我不語，我不再和他談論任何的問題了。對方只是個三十出頭的男人，還是個知識分子，如果連這種人都不懂眞正的付出是什麼，我又豈敢奢盼台灣會進步。

最近我常想一個問題，不知道有沒有人也和我一樣有這般的疑問，那個問題就是——爲什麼九二一大地震會發生在一般人公認爲最有靈氣，最山明水秀，最適合蓋廟適合修行的地方呢？**有人說大自然在反撲了，我相信；但我也相信，也有可能是祂們故意在破壞地理，想要根除我們一般人的迷信與盲從。不過，如果眞的是這樣，如果還有下一次，拜託住在上面的！請不要再傷害無辜的老百姓。**

再來，如果說超渡、做法事就能解決問題，擺平一切，那也太沒有天理了，有了錢就能萬事如意了嗎？如果是這樣，那麼那些被我們所膜拜，所尊敬的祂們，實在是比升斗小民還不如了。舉個例吧！假設甲殺了乙，乙方的家人去法院告狀，但甲有後台，有靠山，用錢買通了檢警、法官，害得乙方這一邊無法勝訴。請問乙方的家人會心服嗎？死不瞑目的乙會放了甲嗎？

當有機會同時轉世的時候，老天爺一定會秉公處理的。但是，轉世後的甲若是得知過去世的他犯了大錯，想藉著爲乙超渡來化解怨恨，想想看，可能嗎？就算乙原諒了甲，可是過去世裡乙方的親人又該如何超渡呢？他們的精神損失又該如何賠償呢？如果甲沒有錢，沒法替乙辦法會做超渡，那又該怎麼辦？再嚴重一點的，如果乙已經轉世，很不巧的老天爺把乙賜給甲，做爲甲的寶貝兒子，各位，下面的劇本，不妨就由您來發揮了。**如果都來轉世了，卻又不還帳，老天爺又會如何處理呢？很簡單，繼續加加減減，外加利息，就像一首老歌的歌名——總有一天等到你。**

因爲我不懂超渡，所以我也不能說超渡完全沒有用，但一來花錢，二來師父的功力又是如何呢？站在被害人的立場，如果他還沒有機會轉世，我想加害人若是能夠誠心誠意地懺悔，並且立志改過，盡量做好事，在冥界的他，心也會軟化，不但放了人，還會祝福對方呢！不過，民事部分是和平地解決了，刑事部分依然存在，永生永世，直到還清了（服刑完畢）爲止。所以我才會建議大家，早還早清早了業。

我們常說：「冤有頭，債有主」，我們也常勸別人：「善有善報，惡有惡報，不是不報，時間未到」。可是爲什麼，事到臨頭了，自己卻總是慌了手腳呢？我相信，祂們強調因果輪迴，並不是要教導世人心存報復的態度，而是要我們慎重地對待自己的起心動念，尊重萬事萬物，如此而已，其實，祂們的要求一點都不多。

社會新聞中，我們常常可以看到所謂的「神棍」，騙財騙色，害得受害人常常是家破人亡。這種人動不動就說：「有冤親債主纏著你，一定是你祖上有積德，所以你才會這麼幸運地碰到我，我來幫你將他帶走，費用大概是×××。」這種新聞一點都不假，十多年前，有一本專門介紹靈異這方面的雜誌，我一時好奇，照著住址找到了在台北市民生東路的一棟公寓。一進門，我告訴來開門的人說我是照著雜誌找到的，（我爲什麼會挑這一家呢？就因爲照片上這對夫婦的相貌很莊嚴），趁他去通報的時候，我看了一下，哇！好大的一個道場，全鋪上了榻榻米。

接著來了一位女師父，就是雜誌上介紹的那一位，大吼：「天兵天將伺候！」一下子，她的兩旁各出現了兩個年輕男女，合力地把我壓倒在榻榻米上，她手持一根類似童軍棍的長棍子，用力地抵住我肋骨正下方胃部上方的部位，口中還大吼著：「出來，出來，我命令你出來！」頓時，被棍子抵住的地方，痛得要命，卻又叫不出來，只好心裡默唸著「阿彌陀佛，阿彌陀佛」。差不多是七、八秒鐘的光景，她忽然鬆手並對著那些天兵天將大叫：「是誰把我的棍子推開的？」那幾個人一個個嚇得連聲說沒有。趁這個時候，我趕忙站起來，在這起身的同時，我瞄到了她那驚恐的表情。

她又把我叫到另一邊的講堂去，這時候天兵天將也跟著跪在她的兩旁。「我告訴你，你的身上附了一個吊死鬼，還是一個厲鬼呢！你看到了，剛剛我那麼兇，他都還不出來。如果是請我的師父幫忙，我告訴你，沒有二十萬，他絕對不會替你處理的。你比較幸運，碰到我，我給你打個六折，十二萬就可以了。」我清醒了：「我回去跟我先生商量看看，再給您一個答覆。」拉起女兒的手，我就趕快溜了。那一晚，我是帶著四歲的大女兒同去的，一進門，她就躲在門邊，靜靜地看著這一切，出了門，她才開口說話：「媽媽，他們爲什麼要拿大棍子把你弄得那麼痛呢？」

我想，並不是每個受害者都是愚蠢的，一定也有一些像我這般好奇，求知欲又強的人步上了神棍的圈套。我們再回頭看看如果眞的是有陰靈的話，而那個靈又眞的是過去世的受害者，你想，他會乖乖地就範嗎？還是更加頑強地抵抗呢？再不行，這個靈界的朋友，總還可以到冥界去按鈴申告吧！所以除了不要受騙之外，在主修「慈悲」的學分爲自己過去世的錯誤做彌補時，不要忘了，同時也選修一些有關於「智慧」的學分。這是非常重要的訊息。祂們可一點都不傻喔！只有慈悲的人不見得申請得到祂們的移民許可證！

補充一點，通常世間人發現不太對勁或者是有異狀的時候，其實過去世的冤親債主大都早已經來報到了，所以辦法會做超渡，根本就無濟於事，那又該怎麼辦呢？好好地面對冤親債主，強迫自己修身忍性，盡量想辦法在這一世裡還清，不要再拖到下一世了。再者，如果一再地「相信」某位師父，某位法師，那麼請問當這些師父、法師不在了，無法聽到開示，聆聽訓誨時，那豈不是六神無主了嗎？活生生的一個人變成了大海孤帆，又該如何呢？

所以祂們一再地強調要悲智雙修也就是如此，盡量學會自己分析事理，自己練習判斷，一段時日之後，相信你也會是個很棒的師父，一個周遭親朋好友生活上的好師父。凡事總有第一次嘛！如果總是邁不出第一步，那誰也幫不了你，因爲腳是長在你身上的！千千萬萬不要盲從，雖然我是個通靈者，照理說越信我的人越多越好，但我一再地搬家、換電話、改變算命地點，爲的也就是不要別人「依賴著」我。我寧可被人說我這個人不夠慈悲，我也不願意背負著阻礙別人成長的罪名。

# 破劫法

如果有人告訴你，你即將有災禍臨頭，或者有人告訴你，你的房子沒有財庫……，當然了，也會有人很好心地告訴你，這一次高考你一定可以金榜題名……。怎麼辦呢？對這些「好心人」的預言或警告，你該如何面對呢？是讓自己被牽著鼻子走呢？還是時到時當，沒米煮蕃薯湯？除非是眞的給忘了，不然的話，十之八九的人總是在內心深處有了疙瘩，不痛不癢，但就是怪怪的。好的、吉利的，也就算了；不好的、災難的，再灑脫的人也瀟灑不起來。

我們先來想想好命與勞碌命的定義，小時候，我的曾祖母總是一再地告訴她的子孫：「**我告訴你們，人啊！就是要能吃、能睡、能動、能做，才是眞正的好命！**」她活到八十八歲，平日幾乎不曾聽她喊過這裡痛，那裡痛的，只有在最後幾年得了老年癡呆症，她老人家是在我進了社會之後才過世的。印象中，她一直都是自己清洗她個人的衣物，還要養雞、養鴨、養豬，照顧農作物的……，每逢遇到大年節或家族中有婚喪喜慶時，還要幫忙辦桌，裡裡外外地忙個不停。照常人的標準來看，她絕對是屬於勞碌命的，可是她卻按照她自己喜歡的生活方式過了一輩子。

爲什麼我會先提好命與勞碌命呢？在我通靈的第一年，有一位打扮得體的貴夫人來找我，要我算一下她的大女兒。我答：「眞好命，妳的女兒有夠好命，菩薩一直告訴我說她眞的好好命。她什麼都不必操心，一生都是被人服侍地好好的。」這位婦人聽我這麼一說，突然哭了起來：「我女兒眞的是很好命，從出生到現在眞的是一直被人服侍得好好的！」我傻傻地看著她：「那麼妳哭什麼呢？」

「她是中度的智障，現在十二歲，我還和她班上男同學的媽媽談好了，將來等他們長大了，要把他們湊在一起，但不要讓他們生育。我們兩家的大人就輪流負責來照顧他們小倆口。」各位，您以爲呢？這小倆口是不是眞的好命透頂。自從這一次以後，每當腦海中出現「好命」的字眼時，我就好害怕，害怕說出口以後，菩薩祂們又會有另一番新的解釋。只要有人很殷切地問我：「你看我的小孩，將來好不好命呢？」我總是會不厭其煩地告訴對方以上的故事。

知道嗎？這麼多年來的經驗，讓我深刻地體會到，平凡！平凡！只要平凡就是最大的福氣了。

如果擔心有「血光」，不妨先去捐血。如果擔心有「車關」，亦可去捐血，或者去幫助那些因車禍受傷的人。看倌您可別反駁我說：「我又那會知道有誰車禍受傷了呢？」我有一位朋友的父親，只要他的經濟許可，他就往醫院的急診室走走看看。如果探知有人繳不出費用，他就會對櫃台小姐說他是患者的家屬，替對方繳了錢後，就走人，不留下姓名等的任何資料。

還有「柯媽媽」基金會，不也是需要大家的幫忙嗎？

如果被直斷「沒子命」，這個可就事情大條了，如果再加上多年不孕，東拜西求的卻也總是不見效，通常就會更深信不疑了。「沒子天註定」這一口氣眞是嚥不下。首先必須要有心理準備，來了個子嗣，到底是來報恩呢？還是來討債呢？如果一股腦的以爲只要能生個一男半女就好，那我也沒輒。我總是勸人家，要生就要生好的，但是天底下那有這麼好的事，可以專撿便宜呢？

我倒是常教對方一個方法，先去認養小孩，例如到各縣市的家扶中心、世界展望會……等，認養幾個需要幫助的小孩，或者是利用假日帶些一般小孩子們需要的東西，一同與孤兒院的小朋友快樂地度過。相信我，老天爺的心是很軟的，看你們夫婦倆都這麼愛小孩，這麼有心，就算你們原本眞的是無子命，但是凡事沒有絕對的，祂們也會爲你們申請，申請一個好小孩，讓你們去照顧，讓你們去圓緣。

如果原是預定來轉世，並且是來向你們討債的，在另一時空中，看到你們是如此地在意，如此地付出，我想或多或少他也會先降低他的敵意，再心甘情願地來轉世。懂嗎?既然是欠人，那麼就早點還，道理是再簡單不過了。同樣的，如果孩子已出世，卻被預言說，這個孩子不好帶，是來要債的。別擔心，還是那一句老掉牙的話——早還早清早了業。

我會勸孩子的媽媽，可能的話辭掉工作，自己帶小孩。古人說：「養兒方知父母恩」，眞的是一點都不假，自己一手帶大的小孩，做爲爸爸媽媽的比較容易了解孩子的個性，孩子也比較不容易變壞。不過，這眞的是很難做決定，因爲如果想要自己親手撫養小孩子的話，就算經濟沒有問題，但是做爲媽媽的，可能就會喪失了好多美麗的機會，等過了一陣子之後，想要再出來重新找個工作，也不是一件容易的事。

話雖如此，每一次碰到有這種命運的父母，我還是不厭其煩地慢慢地說明給對方聽。與其等將來孩子長大了，變壞了，再來煩心，再來還債，倒不如趁孩子小的時候，用另一種親自撫養的方式來償還。這種方式，一樣要花時間，一樣要花心血，只有更累，一點也不輕鬆，所不同的就只是償還的時間前後不同罷了。這一招，眞的是有效。但是如果你問我：「我又那會知道孩子是來要債的還是來報恩的呢？」各位，這個問題重要嗎？如果是來要債的，我勸你如此做；如果是來報恩的，將來孩子對你的回報只會更多。

順便一提，生了就要養要教，懷了就要生，不懷就要小心行事，不要輕易傷害一個生命。不要說懷孕幾個月以後，靈魂才會進入小嬰兒的肉體，千萬不要相信這些話而率性墮胎。至於有沒有嬰靈，我不清楚，但是我總是被告知，那些小嬰兒，個個都是天使，有專人在照顧著，等待著屬於他們各自的時刻到來，再投胎轉世。祂們非常非常不願意看到人類的靈魂是帶著怨恨的心態來轉世的，更何況肚子中的胎兒們又沒有錯，爲什麼要平白無故地傷害他們。再怎麼說，他們都是一個生命。

如果拿掉胎兒的父母，心有愧疚，請一樣懷著懺悔的心，將這一份對孩子的思念讓別的小孩來分享，讓一些需要被愛的、活生生的小孩分享你的愛。不要問我墮胎有沒有罪，只要問一問墮過胎的人，就算嘴巴再硬，你還是可以隱隱約約地看得出來他們內心的酸楚。

如果是「破財」，錢財人人愛，破財怎麼辦？首先先要假設破財是爲了消災，如果金錢能夠解決厄運，那還有什麼問題，更何況還有財可以破。但是擔心的就是沒錢了還被騙，或者是破財了還要被他人取笑，說自己是個大傻瓜，實在是心有不甘。所以在未破財之前，不妨先去捐錢，贊助公益團體或機關，花小錢，賺大錢，絕對划得來。

但是請不要這麼現實，我總是希望如果您經濟許可的話，爲自己訂下一個標準，將淨收入的百分之幾拿出來幫助眞正需要幫助的人，不是只有一次，而是將這種行爲變成你生活的一部分。如果說許願捐個十萬就可以破劫，我不贊同一次就捐出十萬，我反而會勸人一次捐一千或兩千，每個月固定捐獻，**如此一來將它變成習慣，另一方面，也時時刻刻提醒自己關懷別人，感恩別人。**

我相信，這種無所求的奉獻心態，就連魔鬼也不敢惹你，因爲無私、公正的人，他的磁場絕對不是可以輕易侵入的。就算是前世欠下的，也較容易大事化小事，小事化無事。當然了，一定要張大眼睛在現實的社會中，小心行事，否則在這個社會中騙人的手法還眞是不少。想一想，如果奉獻錯了地方，那豈不是助紂爲虐嗎？

剛大學畢業那年，我看了一本介紹摩門教的書，我才知道他們很注重家庭生活，而且規定每個人收入的十分之一要貢獻給教會，做爲教會用來爲社會服務的基金。這條規定吸引了我。從此，只要我有薪水收入，我就將其中的十分之一捐給孤兒院，對了，想起來了，怪不得我的三個孩子，都相當好帶。

在民國七十幾年，房地產大漲之前，我預訂了一間房子，結果一年後脫手，我發覺我只繳了一百萬，卻拿回了三百五十萬，獲利了兩百五十萬。於是我將其中的五分之一五十萬，捐給了創世植物人安養院。事後家人很不諒解，但站在我的立場，我是這麼認爲的，這些錢也不是我勞心勞力賺來的，是整個社會的經濟局勢改變所賜給我的利益，所以捐一些出來與大家分享，又有何妨呢？

後來又發生了一件事。那是我祖母的娘家分財產，結果要我們這些兒孫蓋章，對方說會包個紅包給我們。其實打從一開始我們就是認爲蓋章就好，那需要拿什麼紅包的習俗，沒想到紅包到手的時候，才知道裡面包了四十多萬。於是我自己再加入了一些錢，將它湊成五十萬，捐給了學校。各位，看到這裡，你一定以爲我是個富婆，錯了，我很愛財，卻是一個不會理財又不貪財的人罷了。想想，我的祖母已經死了三十多年了，我還有這個福份能夠拿到她老人家的錢，這難道不是天賜之財嗎？為什麼我就不能把祖母的愛心擴大，讓更多的人享受到她的遺澤呢？

沒有財庫，守不住財又該怎麼辦？既然是自己沒有財庫，那就只好拜託銀行的保險櫃了，千萬不要去跟會，不要買股票，不要投資房地產……，反正就乖乖地存在銀行，就算幣值會變薄，損失也是有限。不過還要再注意一點，一定要找有信用，穩固的大銀行，而且是辦定存，不是辦活存。

如果沒有偏財命，而偏偏又有破財命（財運不穩），那首先一定要先學會認命一點，盡責的當個公務員。在這之前，還必須先付出精力考上公務員的資格考試，然後認認眞眞地上班，否則也許被炒魷魚的還是這個倒楣的人。如果考不上公務員，那麼也要盡量去找個大公司行號上班，例如台塑、台積電……等。說穿了，還是得努力，更加努力地去找大靠山、大雨傘。

當然了，關於這方面的還有好多好多，不過，我相信各位一定可以舉一反三。有一點比較特別的就是常會有人說：「你死去的祖先缺錢用！你們要燒一些給他，當然是越多越好，這樣子，他就會比較好過日子，也才會保佑後代的子孫平安賺大錢。」為了這一些話，我們這些做為後世子孫的，就該學會為自己的死亡負責，在有生之年好好做人好好做事，不要也讓自己的後代子孫，還要爲死去的我們在煩惱、在操心，多差勁！多沒面子！

有沒有想過，如果祖先已經轉世了呢？如果祖先在地獄裡被關，就算有錢，他能夠出來享用嗎？如果一樣是在地獄裡，但是沒有被關，那麼那邊的世界用的「錢」眞的就是我們燒給他們的這一種嗎？注意一下，台灣北部和南部印刷的紙錢就不太一樣，那大陸那邊如果不燒紙錢，他們的祖先又該怎麼辦？一樣是中國人喔！好了，就算地獄眞的是需要用「錢」的地方，那麼如果祖先是在天堂，天堂不是想什麼就有什麼嗎？那還用得到紙錢呢？如果沒有子嗣的人，那又該怎麼過活呢？

所以站在我的立場，我無法爲死者做些什麼，我只能請他們自己自立更生，因爲我知道他們的存在，但是我卻眞的不知道他們的世界是怎麼一回事。我只好盡量要求自己修得好，不讓祖先丟臉，不讓祖先憂心，我想這比我燒紙錢給他們更有意義。不過我絕對會想念他們的，不管他們是好是壞（好的我學習，壞的我做爲警惕），因爲沒有他們，就絕對沒有我的存在，這是永遠不能否認的事實。在「下面」的他們，我想他們眞正擔心的是在世的後代子孫，能不能從他們身上學到教訓，及時改過，立志向上。

我不是不尊重死者，就是因爲知道他們的存在，所以我才更加了解到慈悲與智慧的重要。祂們一再地告訴我，要我淸淸楚楚地明白，不管在那一時空，都必須學習，都必須服務，學習與服務是永無止境的。天堂是如此，西方極樂世界亦是如此。

再來說點吉利的，如果有人說你的兒女會考上公立大學，好吧！天天望著天花板，天天吃喝玩樂，我們就來印證一下，看看公立大學的榜單上會不會有貴子弟的大名。不要忘了，一句至理名言「天下沒有白吃的午餐」。好吧！我們姑且再假設眞的考上了，但是這一回我可以百分之百的保證，貴子弟一定唸得很辛苦，搞不好，一學期就被當了，就被退學了。有沒有人懷疑，爲什麼當初算命的不說淸楚，只預言了一半呢？沒辦法，這是人之常情，一般人總是喜歡聽美言，算命的也是一個心理學家，他也只不過是投各位之所好而已，又怎能怪他只報喜不報憂呢？

有福有禍，有喜有悲，這才是人生，才是彩色的人生。雖然出生的時候，輪廓早已成型，但色彩是我們自己加上去的，筆和顏料，每個人都有，成品是黑白還是彩色，就各憑本事了。唯有經過努力並且付出的成就，才會更加珍惜，唯有小心謹愼躲過的劫數，才會永生警惕。當我爲人服務時，我常會在紙上印著：

菩薩非萬能，指示非仙丹

天下更沒有白吃的午餐

唯有永無止息的修身、行善、積德才是萬寶良方

注意事項：

1.志工，當個願意眞心付出的志工，這是一個非常容易破劫的招數，這個社會上，可以讓我們付出心力的地方實在是太多了。只要你有心，只要你付出，老天爺不是沒長眼睛的。

2.別等業障現前了，才想到要破劫，要行善，似乎晚了一點吧！就好像平日悠哉悠哉地，等到發生火災了，才拼命想，到底滅火器、消防設備放在那裡了呢？就算找到了，卻又不知道該如何操作，這樣子來得及滅火嗎？不被燒傷就很不錯了。古人曰：「勿臨渴而掘井」，不就是這個意思嗎？

3.雖是如此，但也不能說就眞的是太晚了，因爲我們又怎麼會知道過了這一劫就沒有下一劫呢？過了這一世就沒有下一世了呢？

轉世過程的原則是永續經營的，所以行善積德永遠不嫌遲，不嫌多。

# 入世的修行㈠

老天爺，老是一成不變，老是那麼地公平，不管他是那裡人，是動物還是植物、礦物，好像大夥兒都是一樣，都是被分配到一天二十四小時。而且更重要的，日子一過，就再也不能重新來過。就像奧運比賽，苦苦練了幾年，只憑幾秒鐘就決定勝負；就像音樂演奏會，一旦上了台，就沒有重奏的機會了……公平嗎？眞的是非常非常的公平，有人珍惜這個絕對的公平，努力以赴，有人卻放棄了這個唯一的公平機會。

出家人，這三個字就如同立法委員，如同老師，如同記者，……它所代表的只是一個職業一個名稱，並非他們就一定比我們修得好。舉例來說，我們通常以爲老師都是誨人不倦的，但是社會新聞中，卻常常會看到一些害群之馬的老師傷害自己的學生。同樣的，所謂的修行人、出家人，他們的所做所爲也未必一定比泛泛衆生強。所以不要高估了自己，但也不要小看了自己，很多事情，一定要靜下心來學會自己衡量，自己判斷，不要一窩蜂地到處跟著趕流行。

我特別喜歡去觀察市井小民，爲什麼呢？因爲那才是人世間眞正在過日子，在修行的人，有沒有眞功夫眞本事，就在他們的一動一靜間見眞章了。我不是想說別人的不是，我只是眞的想從生活中找出我們可以學習、可以效法的榜樣。我常對來者說：「你的確修得很好，你看看那麼多的出家人，未必結過婚，生過兒女，他們怎麼能夠體會得出婆媳之間微妙的相處問題，又怎麼能夠深刻地了解到做爲父母者對兒女無止盡的關愛與煩憂，當然了，他們更難以相信世間上最難渡的人居然會是同蓋一條被子的枕邊人」。

爲什麼我會大膽的指出這樣的差異呢？曾經有一位女士來找我，我查了資料，發現她過的日子眞是悲慘，於是我向她說明清楚，並且加了一句話：「妳的故事實在是不好玩！」她看了看我，很正經地回答我：「陳太太，妳是說的很準，但是對妳來說，它只是一個故事，但是對我來言，每一天它都是一個活生生的日子。」在此刻，在當時，我都願意再度向這位女士致上我最高的謝意，是她給我上了最特別的一堂課。從此之後，我很嚴肅地對待每一個因果，並且嘗試著進入別人的心境，試著去學會將心比心，角色互換一下，盡可能地替他人想一想，爲對方找出一條更佳的生存之道。

「佛在我心中」，千萬不要捨近求遠，到處去拜佛求佛，很簡單的一個方法，一個原則，那就是——盡量扮演好自己的角色——當角色扮演成功的時候，那麼就會是「人成即佛成」了。如果你問我：「那麼假設我是一個小偷呢？」放心好了，我絕不會告訴你好好地扮演好小偷的角色。稍微用心地想一想，當我們要著手做一件事之前，外人未必完全知情，但是通常當事人一定都清清楚楚地知道這件事能不能做，該不該做，若是還不能完全明白，還是想不透，那麼從法、理、情三個角度去衡量或多或少都可以得到答案的。

就用台灣的特產「違建」來舉例說明好了。第一，不用明講，一定是違法了。第二，占用了衆人的防火巷，也增加了下面住戶的負載力，所有住戶的危險係數也跟著升高，那也不合道理，說不過去。第三，擋住了別人的光線、通風系統，造成了四周建築物的不協調，……情字也很難講得通。如果是裝鐵窗，還可以說是爲了安全的考量，但是違建呢？一戶接一戶，沒有人願意去想一想別人的感受會是如何。台灣人的修行功力如何呢？只要看一看違法建築物的多寡，看一看公德心的表現，還有看一看免洗碗筷的使用場合，就可以一目了然了。

回到正題，如何扮演好自己的角色呢？問題是人的一生裡面，不是只有扮演一個角色而已，就拿女人來說吧，她可以「同時」爲人婆，爲人母，爲人女，爲人媳，爲人妻，爲人師……，這麼多同時在人生舞台上進行的角色，她又該如何用不同的心態，先適時地轉變自己，然後再坦然地面對別人呢？實在是不容易呀！可是我們每一個人不也都是同樣的這麼辛苦地在轉換角色，多累啊！怎麼辦呢？只好在自己的心中放著一把尺，凡事盡力而爲，剩下的，才有權利對老天爺說：「下一棒輪到您接手了！」有一句話：「豈能盡如人意，但求無愧於心」，我想大概就是這個意思吧！

在入世的修行中，「守時」、「守信」是再重要不過了。有時候看到這個國家的一些主政者，三不五時就來個朝令夕改，就來個逞口舌之快，害得一些有心的父母都不知道該如何教育自己的孩子，也不知道該如何向孩子們描繪出他們的未來。如果上行下效，有樣學樣，到頭來，我相信輸的最慘的一定是全台灣的小老百姓們。在上位者頂多是丟掉了他們的烏紗帽而已，而我們呢？我們卻被迫「捐出」了我們的全部，包括了我們的下一代。

唉！我也眞的是不知道該怎麼說才好。居高位者，連這一丁點的修行都做不到，那麼其他的本事再高都發揮不了作用的。想想在大自然界中，一切都那麼依時依序地在進行，日出日落，冬去春來，那時候該繁殖，那時候該冬眠，那時候該遷移……。人不也是大自然的一份子嗎？當我們逆行而施時，該會有什麼後果，大自然界的一切不就是答案之所在嗎？當你不再守時，不再守信時，對這個大宇宙而言，您已經「脫序」了，是您自己把自己給淘汰掉了；對這個人世間而言，您就是擺明了不尊重別人，一旦少了互信的基礎，那麼您再美再遠的願景都只是海市蜃樓罷了。

在這次總統大選之前，我和另一位通靈的朋友，早就已經知道一定要陰陽配才會贏。八十八年八月，祂們還特別警告我如下的話：「如果各黨提名錯誤，那麼就一定會導致崩盤，三組人馬皆會有所損傷，然後一切將重新來過。」我問祂們爲什麼要我們付出這麼高的代價？祂們答：「很簡單，就因爲民主來得太容易了，一般人並沒有眞正了解到民主的內涵，也不會懂得去珍惜，所以一切將重新來過。」

當時我哭得好傷心，因爲根據以往的經驗，我絕對相信祂們的警告。我和祂們講條件，我說我用我的通靈能力或者是用我的生命交換，祂們不吭聲。祂們丟給了我這個訊息，可是我向誰去說呢?就算說了，會有人相信一個沒有名氣的女通靈人的話嗎?我很努力地試著告訴周遭的親朋好友，回報給我的卻是：「不要那麼迷信了，台灣不可能那樣的。」雖然是如此，我還是一直很努力到投票前的最後一刻，只不過，時間越逼近，我被攻擊得越慘痛。（也許讀者無法體會我當時的心境，但是我可以告訴您，我是含著眼淚打下這一段的。）一年多過去了，這個預告片才慢慢地在「成眞」。

各位，如今台灣正在向下沉淪，我們該用何種態度來改變屬於我們的共業呢？朋友問我：「你看，台灣還能不能待下去呢？」我都會半開玩笑地說：「只要我沒有走，你們大概就可以不用走。」還有人問：「依你看，台灣還要亂到什麼時候呢？」對於這種問題，我就會很嚴肅很正經地回答對方：「坦白說，依我對祂們的了解，我是希望越亂越好，唯有這樣才會很快地到達底部，然後一切重新再來，反彈回升的時間也才可以提早來到。如果是慢慢地壞下去，那麼資金耗盡了、人才走光了，就算是有機會能夠重新再來，也是有氣無力了。」

至於什麼叫做「崩盤」，什麼叫做「一切重新來過」那就只有祂們知道了，我想那眞的才是天機。祂們早在兩年前（八十七年十月）就直接附在我身上用寫的：「選總統就是在選一個合作的團隊，不是在選一個崇拜的偶像，這個團隊是要爲國家奉獻服務的，並不是團員們利益的分配與執行，這麼簡單而已。任何一個團體的領導者，一定要心胸寬大，要有宇宙觀、國際觀，有親自執行的能力與魄力，最忌貪贓枉法，因爲他是人民的表率。也就是說希望在上位者能夠用惜緣惜福，有容乃大的心胸，加上衆人的遠見與力量，並且以身作則，有條不紊、有階段性地帶領一大批人朝理想邁進。除此之外，還要有培養下一代的理念與計畫，絕對要會捨得交棒，因爲唯有生生不息、沒有斷層，才能在大自然界裡佔有一席的地位」。

多行善，這已是老生常談，大家都懂，只是怎麼個行善呢？有人捐血救人，有人蓋醫院，蓋學校，有人蓋寺廟（我還是很不樂見）……。以下幾則是我所知較特別的，提出來供大家參考。有人將孩子們看過的優良讀物，小心地整理妥當，外加一大堆常用的文具用品，裝箱打包好郵寄到泰北，讓偏遠地區貧困的小朋友也能一起分享學習的快樂。

有人患了癌症，自己還在接受化療，家境又不好，早上必須早起賣早點，下午晚上忙著繡學號添補家用。趁著空檔，買一些摺紙蓮花的金紙，一摺一摺地慢慢摺出她心中那朵最美麗的蓮花。送到殯儀館，請那兒的工作人員代爲燒給那些無名氏或沒錢買紙蓮花的人。（我雖不認同燒金紙銀紙，但這些往生者實在是太有福氣了。）

有個小姐每天在下班之後，煮好一大鍋狗食，然後騎著摩托車，帶著狗食、大鉗子及塑膠袋，在大街小巷中穿梭著，碰到流浪狗就留下食物，碰到獸屍就撿拾乾淨。有人與獸醫院合作，贊助錢給那些帶流浪狗、流浪貓去做結紮手術的人。**更有好多好多的人投入義工的行列，這眞的是一種好現象，一種心靈成長的好預兆。**

我還是要再強調一次，當你行善時，稍微動點腦筋，千千萬萬不要走入「迷信」的行列，當迷信的同時，就代表這個人疑神疑鬼，掉入神鬼的圈套了。不妨再翻翻〈通靈的危險〉那一章中所提到的魔考、倒考的問題，你可以反問我說：「我又不會通靈！」是啊！沒有錯！那就請再看一看〈黑盒子〉那一章，一切的一切，不是要對祂們負責，而是全部都是要爲自己負責。不要忘了，慈悲要學，智慧更要學。

有時候，有些事情實在是無法改變，舉個例，配偶，喔！不！配偶還可以換，但是父母就不能換了，兒女也是沒有辦法挑選。唉！這種無奈，只有當事人最清楚了，該怎麼去面對呢？有位近六十歲的女士來找我，我一看，接下來的對話如下：

「啊！妳的婚姻實在是有夠慘。」

「哈哈！眞的！一點都沒錯！哈哈哈！」（她笑得好開心，又很大聲。）

「這麼悲慘，妳怎麼還笑得這麼開心呢？」

「因爲，我最近離婚了。」

「那妳才是奇怪，早不離，晚不離，這麼老了才離婚，幹嘛啊！」

「我是因爲想讓我的兒女結婚的時候都有主婚人，不讓來賓對他們指指點點的，所以才撐到現在。去年，最小的兒子結婚了，現在我終於很開心地離婚了。我現在一個人住在工廠裡當廚師，日子過得非常快樂。」

另有一位，比較年輕，約三十多歲，婚姻品質與上一例差不多，反正都是先生有外遇，另外在外築巢。我問她：「妳爲什麼不離婚呢？妳命中有離婚命的。」她回答：「假使我現在離婚了，孩子們都還很小，如果孩子歸我，我實在養不起，這樣反而害了他們。如果歸我先生，那我就看不到孩子，我的心只會更痛。所以我想不如暫時爲了孩子，委屈求全，任由他到小老婆那邊住，他只要每個月拿固定的家用錢給我養孩子，每個周日回來和孩子們一起聚聚玩玩就行了」。

我的小弟，在工地被彈起來的鋼樑打中了頭部（受傷的部位在額頭右上方的髮際處，是他自己不對，忘了戴安全帽），流了很多血，縫了好幾針。爸媽氣急敗壞地趕到醫院，媽媽更是被嚇得不知如何是好，就只會一直說著：「菩薩到底有沒有長眼睛呢？我天天燒香拜佛，天天祈求祂們保佑這幾個兒孫平平安安的，結果卻是這樣子，我那麼虔誠地拜祂們又有什麼用呢？」大妹說：「媽媽！妳有沒有想過，就是因爲妳有拜拜，所以今天小弟的傷，既沒有傷到大腦，也沒有在臉上留下任何破相的痕跡。說不定如果平日妳沒有拜拜，今天的他就不可能這樣的幸運了。」

是啊！這是另一種方式的爭一口氣。凡事總有一體兩面的，就看我們是從那一個角度去看待了。山不轉路轉，路不轉人轉，人不轉心轉。當外在的因素是我們所不能改變的時候，「心轉」總可以吧！這的確是一門大學問。

有人調整自己的心態去接受命運的挑戰；有的人卻是一句話：「管他那麼多幹什麼呢！」，對於這種人我也只好奉勸各位一句話：「別管他那麼多了！」但是有一少部分的人，我卻必須依這個人的命，以及他此世的個性，試著用他聽得進去的話，慢慢地開導，或者試著用激將法的方式，盡量去除他的一個念頭，什麼念頭呢？「自殺」。我碰到非常多想自殺的人，也碰到被我說過會自殺還眞的去自殺的人，也難怪了，會來找我的人多半都是碰到瓶頸的人。

我的弟弟從國外打電話回台灣，他說因爲生意不順想要自殺，別人也就算了，偏偏我是他的大姊頭，我一點也不緊張，假裝很生氣地回答他：「你乾脆現在就從旅館的窗口往下跳，沒關係！反正我會去收屍的！」有些人就是這樣，置之死地而後生，唯有斷了他的後路，他才會乖乖地回頭。

有一位台南上來的太太跟著朋友一起來找我，她只是基於好玩、好奇而來的。（前來向我挑戰的也不少，只是我都是事後才知道。沒辦法，我的態度一向是很認眞的，當我算命的時候眞的是一點雜念都沒有，認眞在收訊息，認眞在傳訊息，因爲我奉行「認眞的女人最美」這一句話。）我很正經地告訴她，一、她的先生已經外遇了，二、接下來先生的事業會倒閉，三、夫家也遭池魚之殃，四、她會自殺，五、丈夫早死。

她回答我，丈夫很好根本沒有外遇，他的事業也做得還不錯。我只好向她賠不是：「對不起！我不會算命，我只是一個通靈的機器，菩薩說什麼我就說什麼，純粹只是照收照傳而已。如果有不是的地方，還請你原諒！不過，如果妳發現你先生有外遇，我還是勸妳最好馬上離婚，否則會因爲事業倒閉的關係，而遭到法律的問題」。

約一年多之後，她的朋友來電話，拜託我找人。原來她回去之後，才知道先生眞的已經外遇很久了，沒多久，第二項、第三項都應驗了，她在無路可施之下，丟下孩子，離家出走。我查了一下，結果是看到她一個人站在橋上，問題是我的功力實在有限，台灣的橋樑又那麼的多，河水又通通是一樣的，我根本就不知道她到底在那裡。故事只好在對不起聲中暫告一個段落。

離第一次見面大概有五、六年之久，她又出現在我面前，若不是她主動提起，我根本就不記得有這個人，有這件事了。頭一遭，換我聽別人說故事，我聽得津津有味。她說，當她知道他先生有外遇時，就馬上跟先生辦離婚手續，後來先生的事業出了狀況，婆婆、小叔等人眞的就沒有逃過法律的制裁。她自己一個人來到了花蓮的一座橋上徘徊，正準備往下跳的時候，卻出現了一位神父……。

她很開心地說：「陳太太，你說的五樣，已經應驗了四項，只有一樣，那就是我的前夫還沒有死，就剩下這一樣還沒有應驗。」各位，猜猜我怎麼回答：「你這豈不是在詛咒別人死嗎？對嗎？更何況他還曾經是妳的先生。我倒是寧可希望這一樣沒有應驗，我寧可詛咒是我自己算錯了」。

另一位上了年紀的婦人也是跟著朋友一起來的，從小就是個童養媳，丈夫經常外出，只好自己靠著種菜、賣菜維生。她想要知道她與婆婆的關係，我說：「爲了你婆婆的問題，你會常常想要自殺，但是不管怎麼自殺都死不成。」她笑得好大聲，對著大夥兒說：「你們想得到的自殺方法，我差不多都試過了。你們知道嗎？我已經自殺了一、二十次了，就連吃毒老鼠的藥、喝農藥我都試過了，沒辦法，就是沒辦法，我就是死不了。」我被她的直率給逗笑了。

我說：「算了吧！沒有用的啦！妳就是去撞車子也死不了的！」這回，她笑得更離譜了，「妳倒是說對了，有一次，我看到有一輛車子開過來，我算準時間衝過去，結果怎麼樣？你們猜猜看！我身上一點傷都沒有，倒是對方的車子被我給撞壞了，害得我還得賠那個車主兩千元，我眞的是有夠倒霉的！」一個好嚴肅的話題，卻搞得滿屋子的人哄堂大笑。

所以嘛！要自殺談何容易，死的成還好，死不成的話，若是變成植物人，變成殘廢，毀了自己也害了家人，何苦呢！就算眞的有自殺的命，但又有誰規定註定什麼命就一定會有什麼命的結果呢?別把自己克制不了的情緒通通推給了老天爺，要知道「自殺」的個性是會變成習慣性的，在轉世的過程中，會一再地重演，直到此人學會了尊重自己的生命，學會了挑戰自己，這個「魔考」才過關。別以爲我是在唬人。

# 入世的修行㈡

回過頭來，我們再來談一談職業的問題，出家人是個職業，醫生是，老師也是，記者是，立法委員也是，就連總統也不例外……，職業實在是有太多種了。在我算命的過程中，根據所累積到的一些資料，加以綜合的研判，發現到有某些個特殊的職業，在轉世的過程中佔著很微妙的地位。也因此我才深刻地體會到，爲什麼祂們會一再地強調「學習」、「誠實」、「尊重別人」與「守時」、「守信」的重要性。

就好像祂們要我做個即席翻譯，那麼在算命的那一刻，「即席翻譯」就是我的職業，我的角色，而這個角色的工作就是要在瞬息之間，老老實實地將祂們的話一字不漏地給表達出來讓對方知道。所以在〈通靈人的悲哀〉那一章中，我才會說如果我不照祂們的意思將話說清楚，那麼祂們就會讓我「突然覺得喉嚨好怪，一句話也說不出來」。祂們要求我的也只是要我「學習」如何忠於我的職業，我的角色，並且學會「尊重別人」，「誠實」地面對每一件事，謹守該有的職業道德而已。

我常告訴孩子們，當你說一個謊話時，就必須用更多的謊言去「圓」第一個謊話。不是嗎？在報紙上我們不也常常看到好多的政治、影劇、媒體等公衆人物一再地表演類似的劇本嗎？當您有心想要成為「公衆人物」時，那麼就要想清楚，這個職業該扮演的是個什麼樣的角色呢？它必定是許多人爭相模仿和議論紛紛的人物，什麼樣的結果您才會覺得對得起自己的良心呢？凡事騙得了別人，但是絕對騙不了自己的，我相信，只有自己最清楚最明白當初自己這樣做的出發點到底是為了什麼。做錯了，並不可恥，可恥的是一而再，再而三地一直錯下去，還直說是別人的不是。

白案發生之後，媒體大篇幅報導，從八十六年十一月十八日傍晚陳進興挾持住在天母南非武官官邸一家人開始，直到十一月十九日晚上棄械投降，這一段轟動武林、驚動萬教的波折過程，更讓所有的媒體卯足了勁，誰也不願意輸給誰。十一月十九日在武官官邸之外的情形我雖然是一概不知，但是官邸之內的一舉一動，我比誰都還要淸楚。可是一連看了幾天的報紙之後，我才知道記者的本事有多大，編故事的功夫更是一級棒。我的結論是：報紙的內容可信度大概只有百分之二十五，偏偏讀者又不知道這百分之二十五是分佈在那裡；至於街坊的大本雜誌，那就各憑本事拿稿費了。

還記得那一天（十一月十九日）的傍晚，天色已漸暗了，我從窗戶爬出官邸，與侯友宜守在樓梯口，對面樓房的陽臺還有屋頂事先就已經躲了一大堆的記者，這些記者看到我出來了，閃光燈閃個不停。也許，這就是他們該做的，誠實地報導事實，但是在我說了一句話之後，他們的閃光燈依然閃個不停，我傻住了。我說：「大家辛苦了老半天，如果就因爲你們的燈光，害得裡面的人以爲發生了什麼事，後果誰要負責呢？」

我淸楚地記得，前一天（十一月十八日）晚上十二點多我和先生兩個人就已經到達第二指揮所，一整個夜晚我都陪著情緒相當不穩定的張素貞，因爲她想到了她自己以及她的弟弟被刑求的經過，並且可能永遠沒有機會獲得平反，因此非常氣憤、非常懊惱，一直想要利用手銬當工具企圖自殺。第二天早上，當輪到我上場的時候，丁署長、楊局長很誠懇地告訴我：「陳太太，就拜託你了！陳進興已經答應我們在四點以前要釋放人質，而你進去的任務就是勸陳進興投降，並且一定要將人質安全地帶出來，盡量要求陳進興在下午四點以前務必要將人質安全地放出來」。

進去之後沒多久，我們就已經談妥了，不管他要不要出來投降，他都答應在下午四點以前陸續釋放人質，接下去我所要努力的才是勸他出來投降。為了讓外面可以清楚地知道官邸裡的狀況，我一再利用唯一的一支電話當著陳進興的面，和外面聯絡。我都是直接和丁署長對話的：「裡面的情形很好，外面千萬不要輕舉妄動！」

在這段過程中，菩薩還要我轉告陳：「你的小孩有劫難，在這兩年內，必須父母雙全，他才可以躲過這個劫難，所以你非出來投案不可，出來之後，你自己還得想辦法如何拖過兩年。」在我這段話之後沒多久，他就已經決定出來投案了。（沒想到出來之後，也許就是為了此事，他把警察們弄得人仰馬翻，到處搜個不停。當我想起來的時候，我也只好很抱歉地打電話給楊局長，向他說明我曾經說過的這段話，並且請他原諒我。沒辦法，在當時，我同時身兼兩個角色，而兩個角色我都必須扮演好，不能有一點點的疏失。）

我們原本是一直待在樓上交談著，還一邊看著電視。後來從電視上看到謝長廷先生來到了官邸附近，陳進興想起了妻舅可能有被刑求的事，也想起了沒錢替妻舅打官司，於是強迫我一定要讓謝先生進來。前一晚，在第二指揮所裡，張素貞就已經告訴我她被刑求的所有過程，依我個人的判斷，初步地我也認爲可能眞的是有刑求這一回事。我一向主張凡事應該盡量對事不對人，誰的錯就該由誰來承擔，沒有必要拖累到無辜，於是我才會拜託丁署長讓謝先生進來。

在進來官邸之前，我曾經對張素貞說：「官邸裡面的人質是無辜的，所以我們一定要想辦法把人質安全地救出來。」她說：「陳太太，我知道，我先生做的壞事已經夠多了，我絕對不讓他再傷害任何一個人。陳太太，等我見到我先生的時候，我能不能告訴他我被刑求的事？」我回答：「爲了避免刺激他，引起不必要的危險，我答應你我們見機行事。」

等到謝先生進來之後，張素貞才當著謝先生的面，向陳進興仔細描述她被刑求的細節，陳進興聽了之後，情緒相當激動，不停地向太太說對不起。不久，謝先生建議陳進興應該趁這個時候，借用媒體的力量，來控訴檢調單位對其妻舅的刑求。於是，謝先生利用他自己的手機，開始與外界聯繫，這時候，陳進興的情緒開始有了另一種不同的變化。他站了起來，走到武官夫人的旁邊（本來武官夫人是坐在一張單人的沙發椅上，面對著電腦，背對著陳進興），右手持槍扣著板機，就將手擺在沙發椅右邊的把手上，左手拿著電話，背對著電視，透過電話對媒體記者很情緒化地控訴妻舅遭刑求的事。我就坐在他對面的地板上，面對著電視，張素貞坐在我的右手邊，謝長廷先生站在我的左手邊，武官夫人就坐在陳與謝之間。

一時之間，我才警覺到武官夫人隨時有生命的危險，因爲只要陳進興與媒體記者的對話不投機，就有可能會擦槍走火，當然了，第一個遭殃的一定是武官夫人。趁著他對記者滔滔不絕，而謝先生也在一旁撥另一通媒體的電話時，我告訴張素貞：「你不要忘了我們進來的目的。」……我從張素貞手上拿過了陳進興轉給她的電話，把它給切斷了，陳很兇地對我說：「爲什麼不讓她講電話？」謝先生也抬頭看了我一眼。

等到謝先生帶著一位監察委員再度進來時，我對陳講：「我可不可以到樓下倒茶給你們。」他答：「大姊，你不要這麼說，你是可以自由行動的。」（他不准武官夫人及小女孩自由行動）當我獨自一人來到了樓下，不瞞各位，我眞的是當場就跪了下去，哭了：「老天爺！就請繼續幫忙讓事情順利進行吧！」爲什麼呢？

如果說時間是可以分段的話，那麼我處理了前面的二分之一，而現在，另外的四分之一交到別人的手上，而我又插不了手，可是等一下一定還會有剩下未了的事情等著我去收拾，那會是個什麼樣的殘局呢？我眞的是一直到了這個時候，才開始知道害怕，才害怕我自己可能掌握不了全局，可能交不了差。那種心境，又有誰能體會得出呢？所以也才會有我後來罵媒體的那一段話。

也許各位可以說張素貞的不是，但是在我與她接觸的過程中，如果不是她的努力與機智（因爲只有她最了解她先生），坦白說，絕不會是後來的這種結果，也許當天我就再也出不了官邸了。在這裡，我要對她說聲：「謝謝你！謝謝你的合作！而在他被槍決的那一剎那，我答應爲他做的事，我也沒有忘記」。

對了，還有一件事，非提不可。就在我罵完記者之後，楊局長來到了我身邊，向我說謝謝，我對楊局長說：「等一下出來之後，我的名字就只有三個字——陳太太，你要答應我，不准對任何人透露我的名字、電話，還有住址，不管對方是署長還是記者都一樣。」楊局長回答說：「我知道，打死我，我都不會說」。

於是一出官邸，楊局長就用他的座車，親自護送我下山。當一大堆大官們忙著在開記者會的時候，他自己一個人卻很守信很盡責地保護著我，兩個人就這樣傻傻地站在榮民總醫院附近的一盞路燈下，等著我先生開車來接我回家。警車、大官們的車，一輛輛從我們眼前疾駛而去，卻沒有人發現有兩個配角守在路燈下。

殺人未必要用刀，有時筆鋒遠比刀鋒還要利。想想如果口傳的方式，一個傳一個，要傳一萬個，要花多少時間呢？更何況傳的過程中，原義是否依舊存在還是個問題。但是如果經由報紙，經由傳播工具，多可怕啊！假使台灣文盲多，那還好，偏偏文盲又少，媒體又強調不能被司法迫害。那麼我倒要請問一下，我們這些無辜的受害者，被那些瞎編、道聽塗說的少數記者所騙的受害者，要向誰抗議呢？我知道了，是我們自己活該，是我們自己智慧修的不夠，不會去分析判斷，也不會拒看報紙，拒看電視，更不會拒買雜誌。

摸摸自己的良心，社會風氣不好，大家都有責任，如果記者的筆鋒轉個方向試著去報導善良、溫暖、熱情的一面，我保證，天堂近了。立法委員也是一樣，不要動不動就躲在免責權的保護傘下，暢所欲言，不管證據的可靠性是多少，隨隨便便就指責別人的不是，要別人對號入座，如果是這樣，我也可以暢所欲言的告訴各位，我也敢保證，保證地獄近了。天堂地獄一線間，夾在這窄窄一線間的就是你，就是我，而平凡的你我，要學習的就是「謠言止於智者」。

我曾經問過祂們，有一些比較大的災難，一次同時死那麼多的人（例如空難、地震、火災等），當然未必一定是有「前世因」的（也就是說，純粹是這一世才開始有的因），可是如果眞的是因爲有「前世因」的話，那麼可能會是個什麼樣的前世業障而造成今日的共業呢？祂們告訴我：「姑且舉個例子，譬如現在的立法院開會，諸位立法委員明知某一法案會危害民生，或者是會影響民主的進步，會有不良的後遺症等，但是爲了個人的利害關係，只好違背自己的良心，自己的職業道德……。當時機成熟時，這一批人只好一起來償還業障了」。

再來談談老師的角色，如果說記者的一則報導能夠影響一萬個人，那麼老師一年的辛苦起碼也影響了二、三十個人。問題是報紙看完，新聞聽完有時也就算了，但是因爲要考試的關係，老師的教學態度、教學品質，學生都被強迫全盤吸收。孩子還小，不會篩選自己要的東西，也無權挑選老師，而留在學校的時間又那麼的長，想想老師對學生們的影響力有多大！

沒錯，照理說，父母對孩子要負起全部的責任，但是，老師躲得過內心的制裁嗎？雖然我們不能要求老師像孔子一樣「有教無類」，但站在我通靈的經驗，我誠心誠意地拜託老師們，千萬不要勢利眼，對某些同學另眼相看，也不要有分別心，專挑某些同學的毛病。因爲這些學生說不定來世就會被安排來作爲您的子女，當做是您來世的必修功課。這眞的是我的算命經驗，所以我才會特別提出來講。常常老師們的一番話，一個動作，就可以影響學生一輩子，所以怎麼能夠不謹愼呢？

現在青少年的問題那麼的多，而這些問題並不是我們逃避，它就會自然消失無蹤的，相反的它正考驗著大人。父母、老師的「天職」加重了，而整個社會上的公衆人物難道就沒有責任了嗎？當我們大聲驚呼：「這一代的孩子怎麼了？」的時候，爲什麼就不能回過頭來大膽地面對自己，看看我們自己又做了些什麼呢？忙著股票、忙著離婚、忙著選舉、忙著圓謊、忙著抗議、忙著互揭瘡疤、忙著販槍販毒販賣人口、忙著利用宗教達到個人的利益……。什麼時候，我們才可以交出一張成績單，一張呈現光明的漂亮成績單讓孩子們去學習呢？不要只是會怪孩子們，想想我們自己吧！要求孩子之前，請先要求自己吧！

很簡單的一個原則「勿貪」，大家都懂的道理，但是一百個人當中，可能就有九十九個人做不到，包括我在內。眞的是知易行難。別人有了麻煩，我們會說：「看開點，一切隨緣！」而自己有了目標，有了計劃，放心好了，一定全力以赴，到底是要全力以赴，還是要隨緣，還眞是一門大學問呢！祂們教我一個方法，但不是絕對的，祂們說：「先想一想出發點是什麼？有沒有私心，會不會傷害了別人？然後在進行的過程中，一樣不斷地思考同樣的問題，爲什麼要進行下去呢？會不會傷害了別人呢？」

尊重自己，也尊重別人，尊重動物也尊重大自然的一切。當我與先生交往的時候，有一次共遊北橫，看到滿山的紅葉，我就地一跳，伸手一抓，手掌裡已多了好多的楓葉。他只淡淡地說了一句：「妳爲什麼不撿掉在地上的呢？」「有什麼關係？反正它們又沒有生命！」「妳又不是樹葉，妳怎麼知道它們沒有生命呢？」我啞口了。

孩子們在成長的階段，我帶著他們到夜市撈魚，因爲書上說這樣子可以訓練孩子們的手眼協調能力。回家之後，孩子們很興奮地向爸爸報告，爸爸說話了：「你們覺得撈魚好不好玩？」孩子異口同聲地答：「好好玩喔！」「可是，你們有沒有想到小魚好可憐，如果你們變成牠們，被小朋友拿魚撈亂趕亂撈的，到處躲來躲去，撞來撞去，你們會覺得好好玩嗎？還是會覺得很害怕，覺得人類實在是很可惡呢？」

孩子再大，一大群人到拉拉山，望著一株株的神木，我也學會了。「小朋友，你們看，神木漂不漂亮呢？」「你們看看，它們站在這裡好幾千年了，一動也不能動，不像你們罰站個五分鐘就受不了。」有一個孩子若有所悟地雙手合十，向著神木拜了起來：「神木爺爺，你好偉大！」其他的孩子也跟著學了起來，就這樣一路上神木爺爺長，神木爺爺短的，趁著這個機會，幾個大人就開始告訴孩子們如何尊重野外的生物。

在生活上，各位不曉得有沒有注意到，總統出國，行政院長生病了好像沒什麼大不了的，可是一旦環保清潔人員放假了，那事情就大條了。**這個社會原本就是一個群體，缺一不可，但我們卻常常犯了一個毛病，只在乎有錢有勢的人，卻忽略了生活中最平凡的人的存在。**想一想，如果沒有這些基層人員的付出，我們的社會可能早就癱瘓，早就完蛋了。

我要孩子們不管是搭公車還是搭計程車，下車的時候一定要記得向司機叔叔說聲謝謝，到餐廳用餐時，也必須對送餐點來的服務人員說謝謝。我也強迫自己做個好榜樣，在經過高速公路的收費站時，記得對站了許久又忍受了一大堆廢氣的收票小姐說聲謝謝。有一次，老二一進門，就很興奮地對我說：「媽，我今天搭的那班公車司機一定好久沒有人跟他說謝謝了。」「你怎麼知道呢?」「因為我下車的時候跟他說謝謝，結果他也跟我說謝謝，而且還笑得好開心!」

我想生活上的很多細節，往往是習慣久了就成自然了。有一位長輩——楊局長，每當我打電話給他時，另一端傳來的第一聲一定是:「你好!」是啊!不管打電話來的人是誰，就算是打錯電話，你好，這兩個字，一定通用，一定不會得罪人，我怎麼就從來沒想到過這基本的兩個字呢?於是我也學他，孩子學我，先生跟著孩子學，朋友跟著我學……。只是短短的兩個字，卻讓我活了四十多年才學會，好慚愧。

現在的住家大多是公寓或大樓，左鄰右舍互不認識，樓上樓下也不相往來。剛結婚時，我住在一棟雙拼式的五樓公寓。十戶人家有七戶是租的，因此大家的心態是，反正房子又不是我的，於是檳榔汁隨地吐，香煙蒂、紙屑亂丟。我實在看不過去了，每個星期從頂樓(六樓)一直往下掃，掃到地下室，再拿拖把從頂樓一直拖，拖到地下室，每拖兩層，就往上爬回五樓家的陽台清洗一次拖把，然後再繼續……。幾個月下來，雖然沒有人幫我一點忙，但是此後，香煙頭、檳榔汁、紙屑、果皮通通不見了。於是我變成了兩個星期掃一次，一個月拖一次就很乾淨了。

每當我要下樓倒垃圾時，碰到同是趕垃圾車的鄰居，我總是會說：「來吧！我就順便幫你丟一下吧！」其實就只是一個舉手之勞的動作，但是，人與人之間微妙的關係，就往往是在這種小小的舉手之勞中建立起來的。我相信很多人一定和我有同樣的感受。

在正常人的眼中，社會好像很平常，很正常，可是到了醫院一看，不得了！怎麼會是這個樣子的呢？有一陣子，我故意帶著孩子到急診室外看看，讓他們了解生命的無常，肉體的脆弱。有時候，在電視上看到一些殘障人士，孩子們會問：「媽媽，好奇怪，爲什麼我們平常在路上都看不到這些人呢？」是啊！原來，這些人根本就無法走出來，他們被迫活生生地，只能窩在家中，跨不出家門一步，所以當然我們無法在街上看到他們，也就因此他們變成了被遺忘的弱勢團體。

沒有用心去觀察，沒有眞正去比較，不會知道自己有多幸福，有多好命。那些殘而不廢、自立更生的人，他們才眞正是我們學習的好榜樣，而那些無法自立更生的殘障者，不也就是我們服務的好對象嗎？這是我非常不建議花大筆金錢去蓋寺廟的原因，在這個社會上眞正需要我們伸出援手的地方實在是太多了，菩薩絕對是不缺香火，不缺大房子的。我相信，如果您聽得到祂們的聲音，那個聲音一定是：

「請把獻給我的一切，轉獻給那些眞正需要幫助的人吧！」

古人云：「諸惡莫做，衆善奉行，不是不報，時間未到」、「積善人家慶有餘」，古人並沒說：「有錢的人才有行善的機會」。是啊！身邊可以讓我們行善，讓我們表現的機會實在是太多太多了。就像祂們一再地提醒我：「我們不允許只會修自己，我們強調的是服務……任何一種的修行都必須是用服務他人來做爲驗關的標準的，我們多麼地盼望世間人能夠早日了解到服務的重要性。」

「做無所求，給的甘願」，簡簡單單的八個字，如果再加上因果論，也許我們還可以說，我們所做所給的也只不過是在還上輩子的業障，沒什麼大不了的，也談不上什麼貢獻的。當然了，如果不是還以前的債務，那麼我們一定就是在累積未來世的資本了，何樂而不爲呢？「人成即佛成」，凡事最起碼的，總要爲自己負責，也許我們無法知道過去，無法得知未來，但是卻清清楚楚地感受到現在。如何讓自己在起起落落的人生當中，學會感恩惜福，實在不難，就只看自己有心與否了。

# 命運是定數嗎？

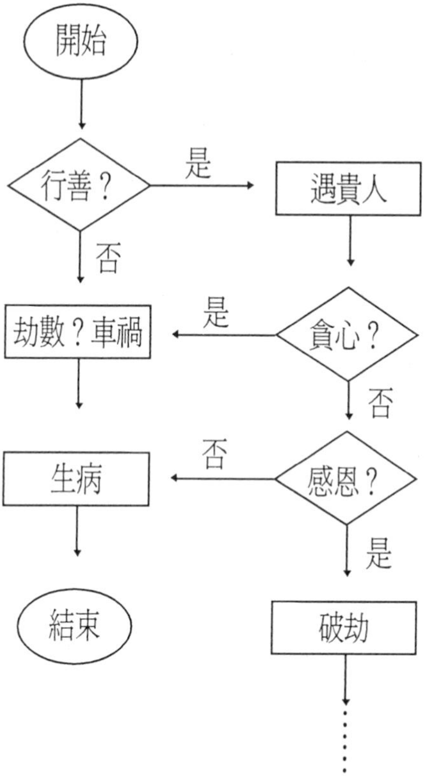

如果你問我以上的問題，我一定會告訴你：「NO！」就是因爲NO，所以很多時候，你會認爲算命的很差勁，都算不準。也許當初他並沒有算錯，只是後來的日子裡，你自己的行爲改變了許多，因此第一卷的基本帶子不管用了（請看〈黑盒子〉那一章）。可是還是得小心行事，因爲你只是改變了暫時而已，也許到頭來終點還是一樣的呢！所以繼續加油，如果想從不同的出口出來，請繼續努力吧！

我只是簡單的畫了一個流程圖，告訴各位如何「破劫」，如果沒有劫數，那更好。但是人生不如意的事十之八九，我們不是在求如意，我們只是求心安理得而已。就像是看風水一般，我們看到的只是眼前，又怎知數年後，都市計劃改變、土地徵收、說不定又來個大地震呢！不必煩惱那麼多，只要想想每晚臨睡前，是否能夠心安理得，安然入睡，再想想，若是突然斷氣，是否也能夠勇敢地面對死亡。

如果根據我對祂們的了解，也根據我的經驗（各位也可以說那是因爲我算得不準而找來的藉口），命運眞的是個定數，是一個固定的數字，多少呢？百分之六十，再說清楚一點，就是還有百分之四十可以改變。但是我們換個數學的角度算一算，就不是想像中的那種差異了。

首先，如果說你的命是註定考不上大學的，那麼在這一方面，你的分數就是負的六十分；相反的，如果說你是註定考得上的，那麼分數就是正的六十分。算一算這前後的差距是多少呢？也就是說從考不上的負六十，開始努力，必須先努力六十分，到達了〇分，然後再繼續加油，從〇分加到六十分。如此一來終於與另一個人平手了，但是爲了贏過他，就一定要超過六十分。都已經到了這個地步，當然要拼了，怎可放棄呢？因此前前後後加總一下，起碼要努力一百二十分以上。

再舉個例，有兩個職員條件相當，都是準經理人選，偏偏總經理與他們兩人有因果關係存在。假設甲是好的因果，也就是在這一世裡，總經理應該是要來回報他的；而乙是壞的因果，換句話說，總經理一定會找他的麻煩的。我們利用上面的公式計算一下，甲一進入公司就已有了基本分數六十分，而乙就可憐多了，是負的六十分。是不是乙要先累積一百二十分才能與甲平手呢？

雖然是很辛苦，但是請千萬不要放棄努力的機會，因爲這種分數的加加減減是一直在進行，一直在累計的，一世帶過一世，永不止息。如果是正分也不要太得意，稍一閃失就馬上變成了零分，再一不注意，負分就出現了，誰贏誰輸，還早呢？「風水輪流轉」，誰都不知道什麼時候轉向河東，什麼時候轉向河西。「君子報仇，三年不晚」多少也有這個意思。

我們不要責怪算命師算不準，因爲就連老天爺也是算不準的，有這麼大的比例，百分之四十的比例掌握在我們自己的手上，算命師那有那麼厲害，百發百中的。老天爺如果眞的是那麼厲害，那麼又何必要我們來轉世呢？祂們口口聲聲說是因爲要讓我們學習，何必這麼麻煩呢？只要祂們大手一揮，直接把我們從ＩＱ零蛋，變成ＩＱ一八〇不就行了嗎？我最差勁的就是老是算不準別人的壽命，這個倒也不能怪我，因爲到斷氣的那一剎那，實在是有太多太多的機會可以讓我們去改變的。再說，知道幾歲會死又怎麼樣呢？坐以待斃嗎？

既然註定的只佔了百分之六十，而又有百分之四十可以改變，爲什麼不好好地面對每一個日子呢？就算不知道因果，不知道個性，不知道未來該怎麼走，難道日子就過不下去了嗎？想想魯賓遜一個人在荒島，他知道了什麼嗎？想想馬可孛羅來到了中國，他又事先知道了多少呢？在不知因果的狀況下，我們對未來抱著一份期望，一份好奇，期待著一分耕耘一分收穫，也許結果未必盡如人意，但畢竟我們夢想過，努力過，這就夠了。

好多人問我，有沒有「現世報」呢？我相信，絕對有的。也有人問我，老天爺爲什麼不乾脆通通來個現世報呢？那麼壞人就會因爲害怕受處罰而不敢做壞事了。各位，您以爲呢？舉個例來說，反正殺害一個人是處死刑，那麼一不做，二不休，就多殺幾個人吧，反正也是命一條。對嗎？合理嗎？在因果的輪迴裡，也許就被判定一世還一條人命，如此一來，加害者就得多折磨好幾世了。

也有人問我：「老天爺爲什麼不造個機器，讓每個人在成年以後就可以淸淸楚楚地知道自己過去世的因果呢？」是啊！這就好像考前拿到了「考古題」一般，不僅僅是考古題而已，還與這一次考的一模一樣呢！這跟考題外洩又有什麼兩樣。請問各位，當在考前就已經完全知道了所有的題目，你們還會專心地去唸其他不會考的部分嗎？對那些認眞向學的同學而言，洩題是公平的嗎？

我再講個現實一點的，如果有一對夫妻，在孩子生下來之後，就已經知道這個孩子是要來討債的，將會是個敗家子，甚至於會剋死父母，害得家破人亡，那麼有人敢向我保證嗎？保證這對夫妻一定會盡心盡力，共同努力去淸償他們過去世的業障嗎？一定會好好地敎養這個小孩子長大成人嗎？還是趕緊溜了，把孩子給棄養了呢？有時候，面對自己的親生父母，自己的親生子女，我們比動物還不如。

老天爺有好生之德，又要求我們要學習，要悲智雙修，想想帶有點「謎樣般」的人生，是不是更具有挑戰性，更刺激呢？當然了，知道因果，知道個性，也許更容易教養孩子，但是在不知道因果的情況下，父母用心地摸索教育孩子的方法時，那種努力，那種心情，不也就是親情的最佳表露嗎？也許過去世的某些怨恨與宿仇，就在這無條件的付出中慢慢地還清了。

不知道終點的道路，也許會讓我們迷惘，讓我們害怕，但是如果這條路又非走不可的話，套句前面說過的一句話：「山不轉路轉，路不轉人轉，人不轉心轉」。

一般人愛聽好話，卻常常忽略了對我們說眞心話的朋友。良藥苦口嗎？未必！但是好友難求倒是眞的，我指的是那種爲我們好希望我們進步，而眞心對我們指出缺點的朋友。因果的存在並不是因爲宗教而存在的，它就只是宇宙中很自然存在的一種定律而已，而好友與您的關係也將隨因果而發酵，這是必然的。修行簡單的說就是修正自己的行爲，同樣地，在將心比心之下，藉著「學習」，大家一起努力成長。所以，請不要漠視了關心您的朋友，也請珍惜與您眞正走在修行路上的好朋友。

我總是鼓勵每一個人盡可能地盡量去「學習」，只要是正當的，只要體力、財力，時間允許的話，排除一切藉口，盡全力去學習。爲什麼呢？因爲在學習的過程當中，往往我們才會發現自己的無知與不足，也就因此，我們慢慢地學會了不驕傲，學會了幫助別人，學會了尊重萬事萬物……。接下來，心放寬了，當然就會是「做無所求，給的甘願」了，而天生註定的命運，也就在這學習的過程中被您自己給改變了。

有沒有注意到一個現象，家中的兄弟姊妹，爲什麼常常是各有所長呢？就算是後來所學的不同，但是往往同一件事，每個人的學習能力與應變能力就有所差別。是遺傳基因的不同嗎？倒也不完全是，說是天賦潛能嗎？那又是怎麼一回事呢？古人不是說：「歹竹出好筍」嗎？而現代人不也常說：「你是怪胎，你是突變種。」嗎？爲什麼同一對夫妻所生下來的兒女會有這麼大的不同呢？命運不同的道理我們懂了，那這一方面的疑問又該如何解釋呢？

根據我的經驗，推論可能是這樣的：過去世中，每一個人所學所做的，所累積的才能，尤其是特有的專長項目，在轉世的過程中，就變成了來生的「天賦潛能」。舉個例：

前第三世，您是個女的，是個一流的舞蹈家，有名有利卻不行善。

前第二世，您雖是個男性，但自然而然地就對舞蹈這方面有天份，卻因爲出生在一個窮困的家庭，你的父母無法栽培你，可是你努力往寫作發展，於是成了舞蹈評論家。並且將心比心地盡量贊助一些有天份的舞蹈家繼續發展。

前第一世，也許您是個女的，寫作能力很強。爲了擠進世界的舞台，拚命學習英文，不久，又多了一個翻譯的頭銜。又因爲在前第三世裡有表演的舞台經驗，比一般人更不怕直接面對觀衆，於是您慢慢地走向另一個角色——英文的即席翻譯。空暇的時候，能夠到歌劇院看場表演就成了您最期盼的享受了。

這一世裡，您想成爲什麼呢?就看您的選擇了。我們暫時把其他的外在條件剔除，只衡量您自己的本身的條件就好了。有一點要注意的就是，累積越多世和越接近這一世的經驗，那種印象會越深刻。所以從以上的例子，我就會建議您可以到國外修習舞蹈的學分，不管是實際學舞蹈，或是學編舞……等都可以，其他的如寫作、翻譯也都可以。

以上的例子，不知各位是否能夠很清楚地了解到我想要表達的意思呢?通常我在爲別人服務的時候，說穿了，也就是利用此人過去世裡的專長，而對他們未來的事業走向提供一點意見罷了。「熟能生巧」這四個字，就可以用在這個地方了。別忘了，可別重操舊業，我所指的是過去世裡您所學的壞的行爲，例如偷竊、販毒、強暴、殺人……，壞的過去世經驗，同樣的也會在這一世裡，讓您的技巧更加純熟，只不過，附加在您身上的懲罰也隨之加重了。

假使我就只能活到現在，那麼依我這一世裡的經驗，也許在下一世裡，如果我繼續努力的話，說不定我會是個很不錯的心理諮商師，也有可能成爲幼教專家或者是個在電視上亮相的做西點專家呢。我是如此，您呢？**盡量多學一些，下一世裡，您的選擇就更多了。**

再換個角度談一個比較熱門的話題——婚姻，我說的是婚姻，不是感情，這點先要交待清楚。往往在算命時，算命師總是說，早婚、晚婚、離婚、先生外遇、妻子紅杏出牆、同床異夢……，星相學家倒是比較好，會指導雙方各用什麼樣的態度，共同來維繫婚姻的和諧。我呢？**採取的是防患於未然的方式，不要求對方改變，而是反過來要求自己的改變，然後強迫老天爺接受我的改變。**

首先我們先把註定要單身，還有自己許願不結婚又被老天爺允許可以不結婚的人排除在外。其他的人，有幾個觀念必須先弄清楚，**第一，就是每一個人「被安排**

可能會跟自己結婚」的對象，並不一定就只有一個，也許兩個，也許三個，也許是一大堆。第二，原先命中註定的那一個未必是最好的，也未必是最壞的。第三，註定要結婚、要單身、要離婚的，並不一定非要結婚非要單身非要離婚不可。第四，註定要結幾次婚，最後的結果也就不一定是「註定的那幾次」了。（記得嗎？有百分之四十是掌控在我們自己的手上。）

現在就假設在我爲人算命的咖啡店裡，三位小姐一起來找我，甲、乙還有丙，而各位就是坐在鄰桌的客人，聽著我們的對話。

甲：陳太太，你看，我將來幾歲結婚比較好呢？

陳：你比較適合早婚。

甲：爲什麼呢？

陳：因爲你的對象裡，最好的是排在前面，所以如果有認識好的，就要把握，不要猶豫。不要挑呀挑的，最後挑到一個賣龍眼的。我告訴你，差不多××歲就會有對象出現了。

乙：那我呢？

陳：你剛好是相反，適合晚婚，約××歲以後再談論婚嫁，因爲之前的對象，都容易分手離婚。如果你不在乎離婚的話，也不在乎小孩子的問題，那麼我也不會反對你早婚，反正我只是提出祂們的建議，決定權是在你自己的手上，任何人都沒有辦法替你做決定的。

丙：如果是我，又要怎麼辦才好呢？照你這麼一說，如果我是註定要嫁給排第三號的對象，也就是第三個出現的男士，可是第三號並不好，第五號才是最佳的人選，那我要怎麼辦呢？難道一定要清清楚楚地計算交往了幾個嗎？交往的程度又該怎麼計算呢？同居算一次交往嗎？還是算一次結婚呢？難道這些個可能成爲我丈夫的人選，他們的次序一定不會變嗎？如果一次出現兩個，又該怎麼辦，怎麼分辨呢？就算你告訴我對方的年紀，對方的姓氏，那就保證一定會準嗎？

這個丙，問題可眞是多啊！不是別人，就是我自己。這就是我的個性，祂們的答案一定要先能夠說服我，等我自己滿意之後，我才會願意替祂們服務的。有些事情，眞的是要循線追蹤到源頭，打破砂鍋問到底，不要隨隨便便就混過去了。

好了，那該怎麼辦呢？利用我常說的一句話：「以不變應萬變」，就是這麼簡單而已，就是把燙手的山芋反丟給老天爺。既然祂們有好生之德，既然祂們要我們悲智雙修，既然又有那麼嚴格的因果定律，那麼我們只要盡量行善積德，學習又服務，其他的就讓祂們去安排好了。反正回去報到的時候，秉著公平、公正、公開的原則，我們也有權利和祂們坐下來談談，清一清總帳的。

各位，別以爲我是在開玩笑，我是再正經不過了。不妨回頭看看一剛開始我畫的流程圖，不就是暗藏著這個道理嗎?再套句成語，就更明白了——「只問耕耘，不問收穫。」當你平平常常地，與預定的行爲差不了多少時，那麼命運就照著原來的版本走，那就是「天註定的命」。當你比預定的行爲還要差勁時，該有的災禍一定躲不掉，該有的福氣也閃掉了一大堆。當你比預定的行爲還要漂亮時，該有的福氣一樣也少不了，該有的災難卻老是被一些莫名其妙的事情給擋掉了。空難發生之後，我們不也常常會在報紙上看到有一些人，原本是要搭出事的那班飛機的，卻因爲……，他很幸運地躲過了這個劫難。

說個眞實的故事讓大家開開眼界。

有個女孩，大學畢業，條件尚可，可是直到二十七歲還在獨來獨往，父母心急了，想到她的下面還有好幾個弟妹在等著，於是不得不拉下面子，東拜託、西拜託的，央媒人說親。結果如下：

剛開始的幾個對象，只要是相親回來，家中總是一大堆怪現象。不是有人不小心弄破大碗公；就是天花板的燈泡會自動掉下來，破掉；打開冰箱的時候，冰箱裡的湯匙會自動滾下來，破掉；洗碗時，碗與碗相疊，也會破掉……。接下來，力道更強了，約好相親的電話才剛掛下不久，釀酒的玻璃甕會自動爆裂，到店裡再換一個，再來一個相親電話，就再爆一個。

到了農曆年前，「有錢沒錢討個老婆好過年」，媒人的電話越來越多了。可憐的女孩，在相親的前一刻，會突然急性腸炎，必須躺在床上打點滴，不能出門相親。更離譜的是，在辦公室上班的她，會突然心絞痛，送到醫院急診，還必須帶著氧氣罩。醫生一來，第一句話：「哈哈哈！今天又有人要替你安排相親了，對不對？」當媒人打電話到家裡的那一剎那，就是她心絞痛的同時。

最後，女孩投降了，但父母親可不願意就這麼輕易地說放棄，這時候，女孩不小了，三十歲了。父親給了她兩千元，要她去參加台視的「我愛紅娘」，結果女孩去台北的襄陽路報名了所謂的電腦徵婚，報名費一千二百元，還省下了八百元當置裝費。

爲了結婚，女孩辭去了工作，在徵婚社當義工，爲的就是可以就近翻資料，挑人選。她找到了一個沒有貼相片的男孩，資料上寫著：「希望對方是個溫柔體貼的女孩。」她對著同事們大叫：「你們看啊！這年頭，居然還有男孩子敢要求女孩子溫柔體貼，還要求對方一百六十五公分以上，開玩笑嘛！我們打電話給他，請他來參加活動，讓我來整整他，看他以後還要不要溫柔體貼。」隔天晚上的集體相親活動，男孩與女孩第一次碰頭了。

這次碰面之後，女孩又陸續相親了六次，每次都照樣是杯破碗破的，沒有一次例外，家人也早已見怪不怪了。四個月後，男孩與女孩訂婚了，女孩的父親只說了一句話：「看來妳就是註定要端他們家的飯碗的。」因爲就只有那一次的集體相親，很平靜，沒有任何的聲響或意外。女孩的身高只有一百五十九公分，婚後的日子，眞的是幸福美滿，眞的是先生對太太溫柔體貼。

多年後，太太問先生：「我們第一次見面的那一天，你還記不記得，那天你有沒有做了些什麼比較特別的事呢？」先生想了又想：「我想起來了，那天早上，我沿著大直明水路在晨跑，看到路邊有一個被敲破的酒瓶，弄得滿地都是碎片，我怕其他晨跑的人不小心踩到，害得別人受傷，於是我就拿了一個塑膠袋，把碎片一片一片地撿起來。就只有這樣而已！」

答案分曉了，老天爺拼命替女孩摔、摔、摔，女孩變成了碗，變成了杯子，變成了酒甕……，男孩就只撿了那麼一次，就撿到了女孩。那個女孩就是我。

# 黑盒子

飛機失事時，總是要等到找到了黑盒子，經過判讀之後，才敢做最後的責任釐清工作。爲什麼黑盒子會是這般的重要呢？又爲什麼只有少數幾個專業人員才有辦法判讀呢？書上說，人死了，到閻羅王那兒報到的時候，會有一面大鏡子，能夠把當事人生前的所作所爲快速地放映一次，這又是怎麼一回事呢？還有，有一句話「頭上三尺有神明」，爲什麼也總是在勸人不要作惡時被提了出來。各位，如果假設以上所說的這些都有少許的關聯，您有沒有足夠的想像力能夠把它們給串連起來呢？不妨自己先動動腦試試看，拼湊一下，然後再往下看我所想像的結果與您的差了多少。

以下只是我個人的經驗以及想像後的結論，這當中也包含了一些祂們傳遞給我的訊息，信不信在個人，絕對沒有任何的勉強。我只是想藉著提出來供大家參考的同時，也能夠收到您更寶貴的經驗與意見，至於是否能夠像國外一般，變成很嚴肅的研究議題，那且隨緣吧！

每個宗教幾乎都離不開天堂、地獄，信的人就可以在西方極樂世界有了位子，相對的，地獄裡也就除名了，至於不信的人，當然就會墮入十八層地獄了。眞的是這樣子的嗎？你以爲公平合理嗎？在我個人就非常地不以爲然，就好像手上帶著佛珠、脖子上掛著十字架的，就一定都是好人嗎？不吃素的人就沒有愛心嗎？就不懂得愛護動物嗎？

請問各位，那些從來就沒有宗教信仰，只會傻傻地、默默地在暗地裡行善的人，死了之後，他們的靈魂到底要到那一個國度去報到呢？那些死後沒有做任何宗教儀式送終的人，難道個個都會變成了孤魂野鬼嗎？……。如果以上這些可以成立的話，那麼我倒是要對著蒼天說一句比較狠，比較重的話了：「你們沒什麼了不起！你們比我們還不如！」

各位想知道平日我是怎麼個拜法嗎？早晚由先生在菩薩及祖先牌位前各點一柱

卧香，各奉上三杯白開水，就這麼簡單，什麼蠟燭、香環、佛號音樂都沒有。祖先忌日時，一定拜素食，但不燒銀紙。至於菩薩們的生日呢？說眞的，當我家的菩薩也眞的是要學會縮衣節食的了。初一、十五沒拜，初二、十六那就更不用說了，什麼觀音得道紀念日，什麼阿彌陀佛聖誕，……，對不起，忘了，也省了。

可是，當我買水果或我覺得好吃的餅乾時，我就會將這些東西先擺上供桌。我以爲祂們就像是家中的一份子，我相信祂們不會在乎我有沒有拜祂們，我相信祂們在乎的是我有沒有拿祂們當榜樣，我有沒有令祂們操心。就像爲人父母者，總是關心兒女是否平安成長，是否能夠自立門戶。

很懷疑吧！我居然是如此的拜法。我家的供桌上，後面是一幅我遠從敦煌帶回來的千手千眼觀世音菩薩的畫像，供桌上只擺上了一尊觀世音菩薩及祖先的牌位，前面就各放置了一個卧香爐、三杯敬水，還有杯筊，兩旁則是燈台。沒有了，就這樣而已，簡單明亮，我自己覺得看起來很乾淨、很清爽、很舒服。至於達摩、韋陀、關公等，都是一些木雕品，我把祂們當做藝術品擺在客廳不同的角落。如果我想到了，我會去佛桌前跟菩薩行個禮，也跟其他的祂們打聲招呼。

像我這般拜法的人居然也會通靈，那還眞的是個笑話。常常有人喜歡問我以下的這個問題，偏偏這個問題是我算命過程中，最不會回答也最令我覺得尷尬的事。問題是這樣子的：「陳太太，請問我家佛桌的位置對不對？供奉的菩薩和祖先的牌位應該要怎樣擺才好？平常能不能移動？拜拜的時候，要點幾柱香才對呢？一柱？還是三柱？要不要先點蠟燭？到底要怎麼拜才對？對了，香要怎麼個拿法才是正確的呢？」我的心裡只有一句話，不能說出口的一句話：「饒了我吧！」

黑盒子是一組人類肉眼看不到的設備，除了有類似攝錄影功能的機器外，還有與老天爺連線的裝置，可以讓祂們做即時的資料處理工作。最重要的乃是裡面有三卷挺特殊的錄影帶，那是一個人出生在這個世界上時就帶來的資料。分別說明如下：

第一卷：這是早就錄製好的影帶，裡面的內容只可看，不可改。

第二卷：剛開始的時候，這是一卷完全空白的帶子，隨著生命的成長，它也開始記錄，開始有了內容。和第一卷一樣，可以看，但完完全全不可改。

第三卷：一開始的時候，這第三卷的內容和第一卷的內容一模一樣，只是這卷不但是可以看，而且隨時都可以更改因時間未到而尚未發生的內容。

第一卷裡有什麼呢？簡而言之，第一卷裡的內容就是一般所謂「註定」好了的命運。譬如說這個人幾歲會有什麼劫難，幾歲會有偏財運，幾歲會結婚，配偶是誰，子女幾個……，反正就是老天爺「本來註定」此人的一切內容。從出生到老死，該有的，一點不漏地都清清楚楚地記錄在第一卷裡了。一般相命師所據以作答的標準答案就是在此，因此，我想所有的相命師眞的都能夠「鐵口直斷」，如果事後證明與當初所講的預測內容有所出入的話，請不要責怪相命師，該懷疑該有問題的，可能是你自己的第二卷錄影帶了。

再來談談第二卷錄影帶，前面我不是說了嗎？剛一開始的時候，它是一卷完完全全的空白帶，那這一卷是要做什麼的呢？原來這一卷就是很忠實地記錄下此人此生的一舉一動，別忘了最重要的，就是它連此人的起心動念都不含糊地照單全收。所以黑盒子裡絕對也配置著攝錄心念機。想想很多家庭不也都有家用的V8攝錄影機嗎？平時不也是常常用來留下家人生活上的點點滴滴嗎？同樣的道理，只是錄製第二卷錄影帶的機器從來就沒有關機過，因此內容的眞實性不容置疑。

我們可以了解到，第一卷是有了內容的錄影帶，不能重錄也洗不掉，第二卷雖然帶來的時候是空白的，但是卻是可以錄製的，隨著時光的流轉，它的內容也就越來越多，但也是不能重錄也洗不掉。

關於這第二卷錄影帶，就不一定是一般的相命師可以得到的資料。有一些前去算命的人想要考考相命師，於是就會問對方有關於自己這一生過去所發生的事情，然後再根據相命師的回答來評斷他的功力高低。只是我懷疑這麼做的意義是什麼。

最重要的一卷——第三卷出現了。一開始，它的內容與第一卷是一模一樣的，也就是說，第三卷是第一卷的複製品，可是妙就妙在第三卷可以加以「人工的修飾」，也許可以修剪得更好更美，但也有可能是個反效果，害得原來的作品越變越差。問題是動刀的人，不是別人，而是我們自己。懂嗎?是我們自己，不要錯怪了別人。請特別注意一個重點，那就是第二卷錄影帶裡面實際攝錄的念頭或行爲有可能會改變第三卷錄影帶內還沒有發生的情節或命運（在此我們姑且稱之爲預告片），甚至於大改特改，完全失去了原味。換句話說，也就是祂們可能會因爲第二卷的內容而即時更改了第三卷尚未發生的命運。

三卷錄影帶是同時啓動的，假設有一個小男孩，在八歲以前沒有什麼特殊的事件發生，完完全全按照第一卷註定的命運在前進著，於是第一卷走到了八歲，第二卷也錄到了八歲，第三卷一樣也是不動一刀地轉到了八歲。就在八歲那年，好心的小男孩「意外地」（我之所以用意外地，是因爲黑盒子的第一卷裡並沒有記載他會有這一段事件的發生）牽著一位瞎眼的老婆婆走過交通紊亂的街道。

這個時候，第二卷當然是一五一十地記錄下了所有的過程。前面我說過了，第二卷的內容有可能會改變第三卷內尚未發生的情節或命運。本來在第一卷和第三卷內小男孩都同時有著相同的命運，就是「預計」他在十歲的時候，會被野狗追趕，然後不小心跌倒受傷因而住院，又碰到一個蒙古大夫（小男孩過去世的債權人）診斷錯誤，結果一條腿變成了殘廢。

但是受到了第二卷記錄下來的「實況」影響，（指的是小男孩牽著瞎眼老婆婆走過交通紊亂的街道）第三卷的內容起了變化，很自動地把小男孩十歲時應該會發生的野狗追趕、右腿殘廢的這一段「預告片」給清洗掉了，也就是說這一段劇情暫時不用了，至於以後還用不用得著，不一定。請注意，第一卷並沒有變動，我說過它從頭到尾都是只准看不准變動的。

各位想想到了十歲的時候，小男孩還會不會被野狗追趕呢？當然是不會了。日子繼續進行著，到了十五歲的時候，男孩稍長，但是卻犯了「順手牽羊」的毛病，偏偏這又不屬於第一卷、第三卷內的劇情。如此一來經過了順手牽羊這一轉變，第三卷又更改了預告片，這一次跳得比較遠，直接就跳到了二十八歲，自動加上了一段劇情，就是男孩子結婚時的那個晚上，喜宴上收來的紅包全被偷了，過了好久也沒有抓到小偷。

春去春又來，二十歲時，男孩良心不安，強迫自己戒掉了壞的毛病，從此不再順手牽羊。在他第一次拿到自己用勞力賺得的薪水時，他把薪水全數捐給了社福機構。第三卷又在修修改改了，這一回改那一段呢？喜宴上的紅包被偷了，報警了，第二天就抓到小偷，但是錢只追回來一半，另一半早就被竊賊花光了。

故事暫且打住，反正是同樣的道理，各位可以自己編劇本，我們再來談一談別的。還記得嗎？這個黑盒子與老天爺是有連線的裝置，而且還是同步處理的，就像是現場直播，只要是第二卷的內容超出了第一卷的範圍，那麼祂們就會著手更改第三卷尚未發生的預告片。結論是第一卷是老天爺註定的命運，第二卷實際上就是此生此世各位您自己的精心傑作，您是導演兼演員。本來一個人出生的時候，是第一卷＝第三卷，沒想到死亡的那一瞬間，卻變成了第二卷＝第三卷。很玄吧！有道理嗎？有沒有第四卷？第五卷？甚至於更多呢？大家腦力激盪一下。

到了另一個國度報到的時候，再把第三卷加加減減，做成預設值，結果就變成您下一世來轉世時老天爺註定的第一卷了，我們就姑且幫它取個名字叫做「天地卷」好了。這個天地卷並不一定要等到人死後才製作，它也可以和第一、二、三卷同時進行，只不過這個天地卷是暫時保管在老天爺的手上。再激盪一下，有沒有可能第一卷＝第二卷＝第三卷呢？

談到這裡，我們已經有了第一、二、三卷和天地卷共四卷的錄影帶了，等一下再繼續說明，現在先回過頭來看看文章一開始的「閻羅王的大鏡子」和「頭上三尺有神明」這兩句話，到底指的是什麼意思呢？請再動動腦吧！很簡單的！一定是和上面所講的有關係，先想一下下，再往下看我的推論。

猜到了嗎？「頭上三尺有神明」指的就是我們自己隨身攜帶的黑盒子，眞的是難爲了，這個黑盒子不但肉眼看不到，在人世間居然也拆不下來。在國外有人研究的結果，認爲靈魂是有質量有重量的，我倒有一個假想，也許這麼少許些微的重量是屬於黑盒子的。至於「閻羅王的大鏡子」又是什麼呢？對了！它只不過是個螢光幕而已。當我們回去報到時，黑盒子終於被拆下來了，第二卷錄影帶被取了出來，爲了講求證據與實效，最佳的方式當然就是將第二卷的內容直接播映出來了，這個時候，總要有個螢光幕吧！

看到這裡，看懂了多少呢？前面懂了，接下去的看了才會有意思。所以如果還有疑問，不妨重看一下前面的，在我個人認爲，這一章是精華。

那麼四卷錄影帶的內容在通靈人的立場又有何等的奧秘呢？通靈人只是個翻譯，是個配角，「祂們」才是主角，所以通靈人必須透過祂們才能夠知道錄影帶的內容。在〈超級電腦〉那一章裡，我所提到的"PASSWORD"的權限，這個時候就可以派上用場了。我們假設有幾個「祂們」，權限各不相同，也就是說通靈人透過擁有不同權限的祂們，又該如何將四卷錄影帶的資料有效地翻譯給需要的人呢？

我們來探討一下。

1.「祂」的權限只能調到第一卷的資料，所以通靈人就和前面所說的「鐵口直斷」一樣。

2.「祂」的權限只能調得到第二卷的資料，所以通靈人在談論對方此生過去時間內所發生的種種行爲，當然就非常準確了。不過在這裡卻出現了一個缺口，讓一般人以爲調得到第二卷就一定調得到第一卷，於是就算通靈人亂蓋一番，對方也不見得看得出來。所以根據這個而來評斷通靈人的功力，那就眞的是見仁見智了。

3.「祂」只能看到第二、三卷而調不到第一卷，這種功力絕對是比上面兩位強多了，但是也有遺珠之憾。因爲通靈人無法透過祂而知道第一卷的資料，那麼在勸人為善的時候，就少了些強而有力的舉例與說明了。就像我前面所舉例的故事，小男孩被狗追趕、順手牽羊、紅包被偷……等的說明一樣，可以前前後後加以分析比較。

4.第一、二、三卷都調得到資料的「祂」，所找到的通靈人就會分析第一、三卷的差別，藉以勉勵當事者繼續努力，自己改造自己的命運。通靈人會告訴對方，如果你這麼做會怎麼樣，那麼做又會怎麼樣……，所以通常這種通靈人不會鐵口直斷，他反而像個分析師，比較客觀地看待所謂的「命運」。

5.這個「祂」連天地卷也能調得到，那麼通靈人的說法很可能就會和前面的那一位很像，他會告訴對方，如果這一世他怎麼樣，那麼下一世他「就有可能」會怎麼樣。

6.……

7.……

黑盒子的原理，一句話就可以道盡——「凡走過必留下痕跡」。

# 超級電腦

在大學的時候，我主修會計，而電腦課是必修的學分，從大一上到大四，學了COBOL也學了FORTRAN。上班的時候，又很幸運地在大貿易公司的會計課、業務課和電腦課待過，二十年前的那個時候，公司所採用的是王安的大型電腦。在當時，我的程度只夠格做輸入產品、客戶、廠商等資料，並且印出報價單、訂單、出貨單……等等的工作。對此，我很不滿足，於是自費再去補習班上課。沒想到二十年前的學習與經驗，今天終於派上用場了。

我記得沒錯的話，每天一早開機，我們就必須先打入我們個人的PASSWORD，而這些個分屬於不同人的PASSWORD在事先就已經被設定擁有不

**一樣的權限**。例如董事長的PASSWORD，他的權限可以查看電腦裡所有的檔案資料；而業務課經理的PASSWORD，他的權限只可以查看和業務方面有關的資料，如果他想看財務課會計組的人事資料，那麼可能就會碰了一鼻子灰，進不去了……，至於像我這種小職員，就只能輸入資料，其他的就不用提了。

打入PASSWORD之後，開始了一天的作業。會計課送來的是貨款的資料，業務課送來的是要打報價單，船務課送來的是……，這種種的資料通通輸入之後，再利用中央處理機的處理，然後分門別類地各自工作，有的是將資料貯存起來，有的是要更新資料，有的則是利用印表機印了出來……。那個時代，中央處理機和印表機都被放置在一間好冷好冷的房間，坐在外頭的我們，每人擁有一架Terminal，隔著透明的玻璃，可以清楚地看到機房裡的作業情形，每次進去拿印好的報表時，都得穿上厚厚的外套。

早在數年前，我就想要寫出黑盒子、超級電腦的相關故事，但是那時候電腦尚不普遍，寫了也是白寫，我想現在應該是時候了。**各位開始用點電腦的概念想一想，除了要有黑盒子的基本認識之外，還要有連線、即時處理，以及中央處理機資料處理中心的觀念。**先利用我們日常生活中不可或缺的「提款卡」想一下，如果你擁有一張參加連線銀行的銀行提款卡，只要你的存摺裡有錢，那麼在正常的狀況下，任何時刻從任何一家連線銀行的自動提款機，你都可以提領到現金。

好了，我開始舉例說明，假設是看倌您自己來到了我面前，想要知道一些祂們能夠指點你的事，那麼站在我這個通靈人的立場，我的資訊是如何取得的呢？當然了，我一定是從祂們那兒直接翻譯過來的，而祂們又是如何取得資訊的呢？以下就是我放慢速度用慢動作加以說明，實際上在運作的時候，往往就只是幾秒鐘甚至是一眨眼的功夫而已。

**在前一章，我不是說淸楚了嗎，每個人身上都有一個黑盒子，而這個黑盒子又與老天爺連線，能夠做資料的即時處理。我們知道黑盒子除了能錄影，能貯存資料……，其實說穿了，它就是一台很現代化的個人電腦，因爲它不只能夠做輸入也具備有輸出的功能。**當你來到我面前，那麼祂們就利用你的黑盒子電腦打入祂們的PASSWORD，一下子，就進入你的個人檔案，至於能夠調資料調到什麼程度，第一卷？第二卷？第三卷？還是天地卷？就端看祂們輸入的 PASSWORD 權限到底有多少而定了。

我也說過，天地卷是暫時存放在老天爺的手上的，但是只要祂們的權限夠高的話，那麼就可以直接連線通到老天爺的中央處理機上，找到天地卷裡的資料。至於因果嘛，在第一卷裡就有一部分是全部關於因果故事的檔案，它清清楚楚地記載著您與這一世裡相關人士的因果，只是因果檔案這一部分卻需要有另一組的密碼，祂們才可以進得去，就好像開得了銀行裡金庫的大門，卻仍是打不開金庫裡保險櫃的密碼鎖一樣。很簡單吧！這是純個人的資料。

接著，如果時間允許的話，您總會問問您的家人吧！既然是家人，那就好辦。一般說來，親近的家人例如父母、配偶、子女、或兄弟姊妹，這些人的基本資料也都保存在你的黑盒子裡，我只要找得到基本資料，就馬上又可以連線進入另一個電腦裡了。

舉例比較好說明，假設我是個辦案人員，我懷疑你的大哥走私槍械，可是我沒有你大哥的任何資料，那該怎麼辦才好呢？我可以先找你來問，問你叫做什麼名字？身分證字號幾號？住在那裡呢？於是利用你的資料，我到戶政機關調出你大哥的資料，我只要有你大哥的身分證字號，八號分機一查，就可以知道你大哥有沒有前科，至於其他的資料，太簡單了。

就好像我進入你的電腦在你的家族欄裡一按，找到大哥這一欄，再一按，不就行了嗎？反正每一部黑盒子電腦都與老天爺的中央處理機有連線的裝置，很清楚了吧。只是有一個問題比較耐人尋味，就算祂們有能力找得到你大哥的資料，但是祂們卻未必一定要告訴我資料的內容。**因爲如果你的問題是不懷好心或者只是純粹問問好玩的，那麼祂們就會認爲何必多此一舉爲您服務呢。**

就有一位女士平日與婆婆、小姑相處不佳（媳婦對婆家的人總是惡臉相向），問我：「菩薩能不能知道我婆婆大概幾歲會往生呢？還有我的小姑大概幾歲才可以嫁得掉？」各位知道嗎？從我嘴中說出的竟然是：「關你什麼事！你婆婆幾歲會死，你小姑幾歲會嫁，那是她們的事，用不著妳來操心！」所以才會有人說，很想讓我算命，可是又很怕會被我罵。眞的是冤枉我了，想罵人的並不是我啊！

如果您想問問朋友或同事等人的資料，那怎麼辦呢？在戶政機關裡絕對無法從你的檔案調到這些人的資料，這個時候，我就會要求你寫出對方的名字，然後進入你的第二卷錄影帶中找影像（既然是你的朋友，那麼就算沒見過面，也會存有心念）。奇怪的是，居然這樣子也能調得到資料。換句話說，上面那一段我所舉的找大哥資料的例子，也可以用這種方法進行。

通常我會收到有關於那個人長相或個性的資訊，也就是說也許祂們會先讓我看到這個人長相的特殊之處，例如大概是幾歲、矮胖型、嘴巴很大、走路搖搖擺擺、常常用手撩頭髮等，或者會先讓我知道這個人的個性，例如愛說笑話、貪小便宜、舉棋不定等，待我和您印證對了之後，而且你的問題是有建設性的，那麼祂們才肯繼續講下去，否則也是會變成拒絕往來戶的。如果印證的結果是不對的話，我就請祂們再查個清楚，再印證。如果還是不對，那我就只好說聲對不起了。有時候，祂們也會故意當場不給資料，等來人走了之後，才告訴我剛剛為什麼不給資料。

在這裡我想補充一點，那就是我在看影像的時候，一個人的身高，比較無法確定，因為沒有衡量與比較的標準，但是胖瘦的分辨就容易多了。就好像只拿一個人的全身照讓你看，後面沒有任何的背景，這時候，此人的身高就成了個謎。

是不是該試一試，找到了這個朋友之後，是否也可以再連線找到他的家人呢？

再來，如果有一個老闆想在一大堆履歷表中找出他要的人選時，那我又該怎麼處理呢？我不喜歡看到相片也不需要看到對方寫的字，為什麼？因為一般人總是會因相片中的長相、及字體的漂亮端正與否，而有了錯誤的判斷（先入為主的觀念在作祟）。首先我會要求老闆自己先挑出一些人來，再由老闆自己寫出這些人的名字，這樣就可以了（讓老闆自己先挑，我就可以省去了一大半的責任）。

然後我再在這些人選裡，一一說出他們的特性以及適合從事的工作。至於準不準，坦白說，沒有人知道，因爲老闆和我都不認識這些人。利用什麼原理呢？和前面找朋友、同事的資料一樣，當老闆自己過濾一遍時，在他的第二卷錄影帶裡就有了這些人的訊息，祂們也只不過是進去老闆的第二卷錄影帶裡，查出了住址等資料，再連線到資料中心，如此而已。

如果老闆懶得先過濾一遍，那麼直接送來一大疊履歷表時，又該如何呢？曾經就有一些朋友想要聘請菲傭，可是介紹所也只是給他們一些菲傭的資料看看，要他們直接就從履歷表挑選、做決定，這的確是很令人傷腦筋。朋友打電話給我，我們的對話如下：

「陳太太，怎麼辦？我不會挑，我怎麼會知道那一個菲傭比較合適，光看照片也不見得會準？」

「你先告訴我，你是想麻煩菲傭替你做些什麼事呢？還有你家人誰比較挑剔？」

「我先生有潔癖，我請菲傭主要的目的是想拜託她照顧我一歲的兒子，至於其他的家務事並不多。」

「介紹所總共給你幾個人選呢?你是不是全部都拿在手上呢?」

「給了我七個人選，她們的資料現在都在我的手上。」

「你從上面算起，最上面的那一張算第一張，好，現在你挑出第三張、第四張，還有最後一張。這三個人比較適合，你告訴我這三個人的基本資料，如名字、年紀、婚姻狀況就可以了，我再一一分析她們的情形讓妳知道，然後，妳就可以自己挑選妳覺得可以合得來的人選了」。

如果這一批人選不佳，我就會請對方再向介紹所要其他人選的資料。到底祂們是利用什麼原理呢，只是隔著電話就可以算出外國人的基本個性。很簡單的，也許祂們只是循著電話線就到了另一頭，到了那邊，再循著上面的住址就找到了，不是嗎?郵差送信的時候，不就是憑著一個住址就把信送到當事人的家裡了嗎?萬一那個人搬家了，怎麼辦?還不簡單，再去戶政機關查一查不就行了，循線追蹤到源頭，總是有辦法找得到當事人的，再進入當事人的黑盒子電腦……。

當您看到這兒，有沒有發現其實老天爺就像警察在辦案一樣——循線追蹤到源頭——只要找到了源頭，一切就好辦了。因果也是一樣，有果必有因，有因必有果，就是那一句話「凡走過必留下痕跡」。

這麼樣高科技的資料處理中心到底是誰在控制的呢？難道說在地球上的人類都成了「外星人」的玩偶了嗎？如果說是祂們控制了我們，那麼請問祂們的「上面」是不是也有另一組「外星人」在負責指導呢？人外有人，天外有天，不是嗎？那麼這和我們控制貓、控制狗、控制其他的動物，有什麼不同嗎？大自然界裡食物鏈的原則，可以運用在這個地方嗎？再想遠一點，**萬一電腦當機了怎麼辦呢？病毒入侵了又該如何呢？**

你們絕對可以懷疑，甚至於嗤之以鼻，我都不會介意的，整本書裡的點點滴滴確實都是我的經驗。我相信祂們的存在，然而我拿不出任何的證據，如果真要有證據的話，那麼就只有那些曾經被我算過命的人或多或少可以出點力了。因為當我在為人服務的時候，我都會一邊解說一邊在白紙上寫字或畫圖案，但也總是當場就讓對方將那張紙帶回家當紀念品。雖然那只是薄薄的一張紙而已，我還是覺得那應該是屬於他們的東西。這麼多年來，我從來就不願意留下任何人的基本資料，所以事到如今也不知道該去何處找人來幫忙。

# 祂們與我們

我口中的祂們，就那麼簡單，感覺上像「人」，但沒有實體的形像。如果好友在場，熟悉我講話的人就可以知道我說的「祂們來了」或是「有人來了」是代表什麼意思。有人來了，這四個字，也常會鬧出笑話，因爲一起聊天的朋友未必都知道我的口頭禪，因此常會有人在聽到「有人來了」這四個字時，很自然而然地將頭往門口一轉，而知情的人就不再和我聊天，讓我靜下來，好好地專心接收訊息。

偏偏有一個會通靈的朋友，老是愛和祂們唱反調，總是搶著說：「我現在沒空，本姑娘喝咖啡比較重要。」不要懷疑，那個姑娘絕對不是我。我一向是「乖乖牌」，因爲如果我不接訊息的話，放心好了，我別想喝得到咖啡，咖啡杯就舉在半空中，只能用眼睛喝。不過，祂們也眞的是很疼我，因爲比較不乖的那一個，祂們總是三不五時地讓她這裡痛、那裡痛，其實也不能這麼說她，事實上她的體質是比我差了點。

她就是在〈如來的小百合〉中的那一個小尼姑。在這一世裡，小我兩歲。第一眼見到她的時候，是她來找我算命，我告訴她，她的前世是個吉普賽女郎，所以在這一世裡，凡是有關於算命的書她應該很容易就看得懂，她點了點頭。離去時，我才發現這個女人全身的打扮還眞的是有點像個吉普賽女郎，長髮、長袖、長裙、馬靴……，身上還披披掛掛地戴了一大堆，非常特別非常有味道的一個女人。

我們已經深交好幾年了，直到最近我才知道她是屬於那種從小就看得到、聽得到、感覺得到另一時空的人，那種能力一直存在，只是她淡然處之，外人知道的並不多。和我比較不一樣的是，那些「靈」（不管上界、下界，還是其他界，就姑且一律稱之爲「靈」）如果有事拜託她，而她又不肯幫忙的話，那麼，有時候「靈」就會煩她，纏著她，讓她感覺這裡不舒服，那裡不舒服，這是令她比較困擾的事。

除了文筆佳，她對珠寶的認識也相當的內行，另有一項非提不可的是，她煮咖啡的技術更是一流。凡是喝過她親手煮的咖啡，那鐵定完了，爲什麼，因爲從此就上癮了。以我爲例，我很喜歡喝咖啡的那種享受，可是跟她這麼久了，我卻從來不向她學，只有這樣我才可以理所當然地拜託她煮咖啡給我喝，我只要負責買咖啡豆放在她那兒就行了。我出豆，她出工，這是我們合作的第一步。

她對密宗的事物相當有興趣，很多的佛經、咒語、甚至於五術的書，她一看就很容易進入狀況。這個本事，我跟她比起來，簡直是差了十萬八千里，她也曾經試著想教教我，不過「朽木不可雕也」，我是越努力越糟糕，只好假裝很瀟灑地放棄。後來我才知道，原來是祂們不讓我的腦袋瓜裡，存有任何世間人的成見，祂們希望我要隨時地學會放空。

當祂們來的時候，她能夠看得很清楚，包括祂們的表情，所穿的衣服，帶來的東西，所寫的字等等，但是如果是從來就沒有來過的，她就不知道來者是誰，必須先與祂們溝通一下……才能斷定來者身分。至於我，就差遠了，我都只是看到一個很模糊的輪廓，只是不管有沒有見過，大部分我都會先收到來者是誰的訊息。

也就是說通常我並不是先看到影像，而是先感覺到有「祂們」來了，並且知道祂是誰。當然有時候，我也沒有辦法知道來者是誰，那時候我就會很自然地脫口而說：「這個我不認識，我不想接。」如果她在場，看得到又不理會的話，那麼就沒戲唱了。所以看不看得到影像，對我來說，似乎並不是那麼的重要。各位，有沒有被我搞昏了呢？

我舉個例，就好像有個朋友想來找我們兩人聊天，他事先並沒有通知我們。等到這個朋友快到的時候，才打了個電話給我，告訴我他大概再幾分鐘就到我家了。那麼我當然就知道有人要來了，而且知道他是誰。但是我並沒有告訴同在屋內另一個通靈的她。等他按電鈴時，她去開門，這個時候，她才知道是誰來了，也才會看一下他的穿著打扮。如果不是我們認識的，也沒有事先和我們約定好，當他突然出現的時候，我們當然是有拒絕與他溝通的權利，請他出門了。各位，懂了吧！（我發覺我還眞的是很有心在向各位說明我們的情形。）

〈如來的小百合〉中的住持呢？在這一世裡，他小我七歲，原是個園藝景觀專家，對造景的審美觀相當有一套，尤其是對石頭的佈局排置，獨具慧眼。第一次見到他的時候，是個朋友陪他來找我算命，我說他是個心軟又忠厚老實的年輕人。那時他就已經利用晚上工作閒暇的時間爲人看病，只是到了大半夜，他自己的身體會突然變得很痛，很不舒服，折騰一整夜都不能好好的入睡。可是第二天一早，又好了……，如此重複著。

我一查，原來他是處在通靈的狀態而不自知，他有了執照，而「祂」卻沒有，換句話說，也就是說有了駕照，少了行照。我勸他暫時休息兩個月，也勸他的「祂」回去再修，等取得執照後再下來助人。否則的話，祂有心，他也有意，卻因爲祂沒有執照，害得他在大半夜得承受不屬於他的肉體的痛，這樣對待幫助「祂」的人說得過去嗎？就這樣，他傻傻地接受了我的建議。兩個月後，祂回來了，他再出手看病，半夜不再有事，一切也正常了。

我們三個人對通靈的感覺都不太一樣，走的路線也有所差別，所以最大的好處就是我們可以互相討論互相印證。因爲三個人都不想被騙，不想惹麻煩，更不想被祂們利用去做壞事，因此只要湊在一起，總會提出彼此的經驗並加以討論分析，或互相支援，而祂們也總是會不甘示弱地來參一腳，聊個天，加個註腳也好。

如果三個人在場，當祂們來的時候，他看不到也收不到訊息，只會拚命地打哈欠，好大聲，不知情的人還會以爲這個人怎麼這麼沒有禮貌，知情的人就會說：「拜託，夠了沒有？可不可以哈小聲一點。」問題是，只會越來越大聲而已。至於她呢？如果來者的磁場實在是太強了，那麼她也會一直發出想嘔吐的聲音，這時的說法就不同了：「到底是幾個月了？」我嘛！比較遲鈍，沒有感應的時候居多，換句話說，就算是祂們來了，只要不是來找我的，我就收不到訊息，也看不到任何的影像。這麼說起來，好像我的身體有個「防衛系統」一樣。

別以爲我們的日子很好過，如果您是這麼想，那就大錯特錯了。我們都一致認爲，今日我們能有此通靈的能力，不是學來的，而是老天爺賜予的，所以我們相信祂們只是想藉著我們去幫助別人，但是現實的日子還是得過，因此彼此拉緊褲帶，決定「隨緣付費」。很簡單的想法，有錢的人可以找那些算得準、收費又高的大師，那麼，那些沒錢的人怎麼辦呢？我們就是專爲這些人而走上了這一條不歸路的。

相對的，這種作法也有一個好處，那就是我們的壓力不會那麼地大。不過，不管來者是誰，我們都秉持一個信念，那就是——只要能夠進得門來，一視同仁。想必有人會問，萬一來的人是不懷好意的壞人，你們該怎麼辦呢？是啊！怎麼辦？也沒有辦法！只好把責任推給「祂們」了，拜託祂們在暗地裡先過濾一下人選，讓眞正有緣的人才走得進來，不過這個緣也未必是善緣就是了。

因爲我幾乎是不碰佛經，宗教的故事知道的也很有限，因此不管是密宗還是顯宗，一大堆菩薩的名字，對我而言都好陌生。所以祂們在知道我的腦容量很有限之後，便決定如下：反正只要有一個祂們的人隨時與我保持管道的溝通就行了。因此我不管也從不問到底是那一位菩薩正在跟我合作，只要有準、不會耽誤別人就行了。（祂們插嘴了，話不能這麼說，應該寫——我從來就不知道到底是那一個「祂」正在輪班監督我。）

不過基於禮貌，我還是要稍微介紹祂們一下，這幾位是不是常來幫忙算命，我並不知道，但是祂們倒是常常在我有空的時候來聊聊天說說理。當然了，我是用人類的標準來衡量祂們的外表，也許實際上祂們的長相並非如此，只是爲了讓我更容易親近祂們接受祂們而幻化成這等模樣（就像我在〈祂們的不同〉那一章所說的外交官的入境隨俗）。至於名字嘛，是我給祂們取的代號，事實上，我也不知道祂們到底叫什麼名字（我說嘛，名字只是一個代號）。

在介紹祂們之前，我必須先說明一下，當我「去」祂們那裡時，我總是變成一個約十來歲左右的小女孩。

阿尖：瘦瘦的，像個斯文的書生，約二十七、八歲，靜靜地，很少說話，很細心體貼的一位男士，就像古裝戲裡的書生打扮，溫文儒雅。祂的文筆很好，寫起論說文，有條有理，像個老師在教導學生一般。如果是我去祂們那邊，那麼通常我和祂聊天的地點是在一個花園裡，坐在花園裡的階梯上，祂就像在哄一個小妹妹般地，怕我生氣怕我溜走。

**圓圓**：高高胖胖的，大約六十多歲，非常的慈祥，穿著像是十八羅漢，又像是少林寺練功夫的那種打扮。他的話也不多（我想起來了，似乎祂們的話都不太多），也很少說理，大部分祂的出現都是在我被處罰的時候。祂的適時出現，再加上抿著嘴巴淡淡的會心一笑，就可以讓我忘了所有的委屈，再苦的日子似乎都撐得過。我也常常用微笑回報祂的來到，在祂面前我就像個向阿公撒嬌的小孫女，很溫馨地被祂寵愛著。

**阿主**：高高的標準身材，五十多歲，祂的穿著比較像羅馬式的那種有褶的白長袍。祂臉上的線條，給我一種睿智與安祥的感覺。看到祂的時候，大部分是在一個房間內的大辦公桌前面，祂總是站著在整理桌上的文件，所以我猜測祂應該是一個舉足輕重的人物。祂管我可管得多了，對我的要求又嚴格……，慢慢地，我才發現祂的心好軟好軟，可是坦白說，我還是有點怕祂。當祂獎賞我的時候，不是什麼金銀財寶，而是在我的額頭上輕輕地吻一下（看來，祂已看準我是個很容易滿足的小女孩，三兩下就把我給打發了）。

以上的三個祂們常常聚在一起，加上我一個，四個人圍成一個圈圈，阿主在我的對面，圓圓在我的左手邊，阿尖則在我的右手邊。這個時候的我老是穿著一身黑的俠女裝扮，年紀也只有十二、三歲而已。總覺得像是在一間大廳的地板上，我們四個盤腿而坐，很輕鬆自在地在聊天。那個畫面感覺上大部分是我在說話，說些什麼，我自己也不知道。對了，這一章裡所敘述的情景，都是我在很自然地想閉起眼睛的狀態下，閉起眼「看」到的。那種很自然地想閉起眼睛的感覺，我想可能有許多人有過這樣的經驗，如是這般，那就閉上眼吧！待它又很自然地睜開眼睛，並且覺得很舒服的時候，就是已經回來了。

不過，請千萬注意一點，如果睜開眼睛的時候，還覺得怪怪的，一直想再闔眼起來，也就是說眼皮好像撐不太開的感覺，那麼，我勸你，趕快再閉上眼，（因爲那種情形通常是表示你的靈魂還沒有完全回來）等到再一次自然地睜開眼睛，並且感覺到眼前的東西突然很明亮時，那就表示安全了。有些人打坐入魔，往往就是這個原因。至於閉上眼睛能夠看到什麼，或甚至於什麼都看不到，那個並不重要。

星星公公與婆婆：公公是矮矮胖胖，圓滾滾的，好古錐好慈祥。笑起來像彌勒佛，可是認識沒多久，祂就死了。祂的衣著有點像是歌仔戲中員外所穿的那種比較華麗一點的衣服。星星婆婆也是不高，有點像日本皇后美智子，是那種讓人覺得很舒服，很想親近的一位長者。

**帥哥**：應該說是酷哥，穿著一身黑的斗篷裝，又高又俊，眼睛又大又亮，很像是中東那邊的人種。祂說祂生前是信奉回教的，常來這兒是爲了想透過我們學點佛教的東西。（祂是可以從我們的談話中學點東西，可是如果我想向祂學點回教的精華，那麼我就不知道該怎麼向祂學習。）

**老娘**：聽起來有點不尊敬的口氣，可是唯有這樣子的稱呼，才會讓我覺得與祂更親近。祂有點像是專門負責調教我的直屬長官。因爲太熟悉我了，所以來來去去，我反倒是忽略了祂的磁場存在。祂的年紀很大，身體很硬朗，有點像是楊家將裡的那位老祖母，表面上看起來很嚴肅，可是相處久了，就會發現中計了，原來祂是一個非常幽默的人。雖然說是幽默風趣，不過卻又很固執，最常說的一句話就是：「**凡事不要輕言放棄，不到最後關頭沒有權利說放棄。**」可是每隔一陣子，又說了：「我實在不應該要求你們這麼多的！」等到事情辦得差不多了，祂又說話了：「看誰訓練的嘛！」各位想想，碰到這種老師，我也只有一句話，那就是：「我投降！」

**張大哥**：祂好像是不加入算命的行列的，來的時候也常是自己一個人來。只有在第一次祂來的時候，我感覺到了，也知道祂的職務是什麼，以後祂再來，我就完全收不到祂的訊息，所以我根本就無從描述起。根據朋友的了解，祂總是不說話，只是帶著一本書，如果我們問祂問題，他就翻書翻到某一頁給她看，她就照樣畫出來，然後接下去的工作就是我和她兩個人玩著看圖猜故事的配對遊戲。

這種情形對於我來說，實在是很糟糕的事。我接受的訓練是直來直往的方式，而我又看不到祂的原版圖，這讓我很有挫折感，總覺得我跟祂之間根本就是兩個字——絕緣。偏偏最近我到朋友她那兒去的時候，祂總是想和我搭上線，想告訴我某些訊息，結果當然是苦了她，又達不到祂來的目地。這種不是自己「通」的情形，往往會會錯意，可是兩人之間的溝通管道既然出了問題，我也無可奈何。祂很難過，我也跟著心痛。所以說嘛！就算我會通靈，祂們還是「有志難伸」。（最近一次祂來的時候，我依然看不到祂，也看不到那本書，但是卻看到了祂拿給我的一串項鍊。也許祂們已經派人在修理這條管道了。）

**老菩薩**：老態龍鍾的老菩薩，就有點像我們常看到的土地公那種模樣，只是祂的臉型比較長，背也更駝了些。我非常非常地尊敬祂。第一次祂來的時候，我正在妹妹家看電視長片，只覺得「有人來了」，我說：「等一下嘛，長片正好看！」但是祂根本不甩我，馬上讓我頭痛得很厲害，我只好乖乖地就地盤起雙腿，閉起眼睛……，還是不行，祂說話了：「到房間裡去！」我只好對妹婿說：「拜託，小孩子的房間借我一下」。

進了房間，我就不由自主地跪了下去，這個時候腦海中才浮現出老菩薩的樣子，大約只有一百四十公分高而已，還拄著拐杖，祂只留下一句話就走了——給你一個國家大事的執照——。那時候尹清楓案、劉邦友案都未破，政治我又不懂，我實在想不出那一張執照是幹什麼用的。只是沒想到，不到半個月，發生了白曉燕案，當命案破的時候，那一張執照也跟著被收走了。

後來，有一陣子祂常來，祂常來安慰我，鼓勵我。圓圓是我在受到委屈時出現，可是老菩薩卻是在我遇到挫折想放棄時出現。我曾經問祂：「您已經這麼老了，爲什麼祂們還要派您來服務呢？」祂告訴我：「在我們這一界，從來就沒有想過要安享餘年的，我們總以爲只要還有被利用的殘餘價值，我們都會很樂意去付出的。記得！一定要學會付出！」知道嗎？第一次聽到祂說這些話時，我哭了好久，我才知道我居然離祂們這麼地遠！

印第安長者：八十九年開始才出現的一位長者，約五十多歲，灰白的長頭髮，挺拔的身材，穿著很簡單的服飾，飽經風霜的面龐卻掩不住他對我的疼愛與關懷。不是祂來找我，而是我閉上眼「祂把我帶到祂那兒去了」。畫面總是出現在荒郊野外，只有我們兩個人，我只有七、八歲的樣子，是個小男孩，而祂就像是我的祖父。祂教我最重要的一個觀念就是：「**不要害怕危機的到來，往往危機就是轉機，如何在危機到來之前，訓練好自己準備好自己的人，他，才是智者，才是勇者。**」

祂用繩子在我雙手的手腕處牢牢纏住，然後告訴我，重點是繩頭一定要留在我自己的手抓得到的地方，只要抓得到繩頭，那麼原本以爲是致命的繩子，反而變成了武器。這是一種僞裝法，也就是在敵人來之前，自己先捆綁自己，等到敵人不疑，來到了跟前時，我就可以抓住繩頭，用力一拉，整個繩子就解開了，正好用來制服敵人。祂還教我訓練老鷹，當敵人從後面突襲時，老鷹要會假裝在我面前攻擊我，其實眞正的目的卻是利用老鷹銳利雙眼的反射，讓我知道後面敵人的一舉一動。

也許吧！在某一世裡，我應該是個很快樂的印第安小男孩，怪不得在這一世裡，從小我就非常喜歡看有印第安人出現的電影。如今，當我在「做法事」的時候，我和一般的通靈人大不相同，我幾乎是不使用任何的道具，例如，畫符、指甲、頭髮、紙人等等，絕大部分我都是用雙手在虛空中比劃而已。甚至於我常教別人自己收驚，所使用的也就只是水、白醋、鹽、糖、米、泥土、紅紙、錢幣等，說穿了，生活上的每一件事物，都是我們的救命武器。

除了以上的這幾位之外，還有好多好多的「祂們」，這麼多的祂們，就好像是由那一界來我們這一界服務的「志工」。

九二一大地震、新航空難、象神颱風……，這麼多這麼恐怖的天災人禍，卻一點兒也擋不住台灣志工們犧牲奉獻的服務熱誠，簡簡單單地「將心比心」，就付出了他們的財力，他們的心力，他們的時間……。當在這塊土地上的每個角落也都有著許許多多貢獻所學貢獻所有的「他們」時，我想，「他們」就是「祂們」了，這兒就是天堂，這兒就是西方極樂世界。

# 敦杭

敦杭，敦煌與杭州，我深愛的地方，我夢裡遙遠的故鄉。

通靈之後幾天，八十一年一月底，我與先生參加旅行團第一次踏上對岸。一到杭州的旅館內，先生先去洗澡，我則坐在床上休息，準備數分鐘之後到大廳與團員們會合吃晚餐。才剛闔上眼，就看到一尊金光閃閃的大佛映入眼廉，像一般的大頭照一樣，只看到頭部與上胸部……，久久不去，把我給嚇壞了，因爲我從來就不曾有過這麼鮮明的經驗。到了大廳趁著其他團員還未出現，我隨手翻了翻那些放在櫃台前介紹當地觀光勝地的明信片。

「啊！快點來！你看！你看！我剛剛看到的就是這一尊菩薩，一模一樣！」我驚叫著，催促著先生趕快來看。原來那是靈隱寺裡的一尊大佛。（後來想想，其實很多大佛都是被雕塑成那種模樣，只是因爲我很少到寺廟，所以少見多怪。）第二天傍晚，我們來到了祂跟前，我「乖乖」地燒香拜佛，並買了當地最大的一對蠟燭，請工作人員在除夕夜爲我點上。（隔天就是除夕了，可是我們一早就得離開杭州。）工作人員告訴我，那蠟燭可以點三天三夜。對著大佛，我什麼也沒說，一份心意，就只希望這一對蠟燭能夠陪祂們過個暖暖的春節。

再踏上這塊土地時，已是八年後的事了。八十八年九二一大地震才剛過，我卻和兩個朋友遠離哀聲遍野的家園，很清楚地記得那天是九月二十三日。我們先到上海、南京，最後一站才是杭州。一入寺園，我就像隻無頭的蒼蠅，不斷扭轉著手上的手帕，到處亂走亂撞，口裡不停地說著：「我找不到我的家，怎麼辦？怎麼辦？我找不到我的家……。」

朋友心疼地看著我，看著淚水早已盈眶的我，一個離家多時的小女孩，突然返家，卻發現家園已不復舊狀……。也會通靈的友人挽著我的手，「不要急！你不要哭！我帶你去，你的家不在這邊，還要再往裡面走，我帶你去，我們再找，一定找得到的……」。

往裡走，我看到了什麼嗎？我找到了什麼嗎？其實什麼也沒有！我請朋友不要拉著我，讓我自己走，自己找。我沒有去大殿，就只是從寺廟的左側大步地向上一直走去，來到了一間關閉著的佛堂，停下了腳步。隔著玻璃我看到裡面供奉著十八羅漢，一尊一尊地我仔仔細細地看著祂們，眼淚一直流，那種感覺就好像祂們都曾經是我小時候的玩伴一般……。我不知道該如何跟祂們溝通，我也沒有收到任何的訊息……。

其他的殿堂都被我略過了，落寞的我慢慢走回約定好的一棵大樹下，然後再與朋友一起下山。就在下山的途中，訊息來了。「你要再回來！一定要回來！你一定要回來住！」是誰？是誰在和我說話？我無法再走下去了，才剛平靜的心湖又被這突如其來的聲音給攪亂了，趕緊找了路旁的一個石椅坐了下來，試著讓自己和祂們搭上線……。我知道了，是祂！八年前到旅館來找我的那尊大佛。我不知該如何回答祂的問題，因爲祂又說話了：「答應我，再回來看看我們！」

那一夜，我想單獨沿著西湖走一走，可是朋友們看我的心情很不穩定，沒有人敢放心讓我去。一整夜，我無法闔眼，就只是哭。天才剛亮，我迫不急待地打電話給朋友：「拜託你，讓我去遊湖好不好？我答應你，我不會出事的，我會乖乖的！」

杭州才回來沒幾天，十月一日，對岸的五十周年國慶日又被我趕上了。就因爲祂們告訴我盡早去敦煌一趟，於是杭州回來的行李還未清箱，我又上路了，這次是另外兩個朋友同行。

敦煌，在去之前，我只知道那兒有石窟，其他的一概不知。從北京轉飛機到敦煌時已是晚餐的時刻了，飯後在旅館附設的販賣部閒逛，同行的朋友看到了一幅心儀的佛像，畫的邊邊註明著「榆林窟第二窟，水月觀音」，而我卻發現十多年前我偶然在月曆上看到的一幅佛像，居然是敦煌莫高窟的主角——第一百五十八窟，「臥佛」。回想起十多年前，我根本不知道祂是誰，就只因爲好喜歡祂那種神韻，於是便把祂從月曆上剪下來，放在我的包包裡，陪著我好一陣子。難道是祂？是祂嗎？會是祂在冥冥之中把我從老遠的台灣誘拐到敦煌來的嗎？

第二天一早，參觀完一般購買團體票可以看的洞窟之後，我們三人另外付費，請解說員帶我們參觀其他幾個比較有名的洞窟。沒有例外的，我要求一定要看第一百五十八窟的「臥佛」，解說員回過頭來問我「爲什麼你一定要看一百五十八窟呢？」我答：「我就是爲了祂才老遠從台灣來到敦煌的，既然來了，怎麼可以不看呢？何況祂是莫高窟的主角。」在一個陌生的土地上，我總不能告訴她說我會通靈，再說要來之前，我也只是很強烈地感覺到自己好心急，急著非到敦煌一趟不可，如此而已。話雖是這麼說，可是各位您知道嗎？當時的我，可眞的是急得一邊開車一邊大哭大叫。

除了我們三個人之外，另外還有三個大陸的同胞也加入了所謂的「特窟」行列。（特窟就是特別的窟，每一窟都有它特別吸引人注意並且值得研究的題材，因此才有必要加以特別的保護。通常這些特窟都是關著的，必須再付出金額不等的票價，才會由專員開鎖帶你進去參觀並加以解說。）**各位，給您一個良心的建議：如果您有機會到敦煌莫高窟一遊的話，不要走馬看花，也千萬不要捨不得花錢看特窟。**

對了，我先要提醒各位一點，石窟外是一大片的沙漠，陽光非常刺眼，石窟內則是沒有任何的照明設備，參觀者必須自備手電筒入內。有些窟很大，有些好小，實在很難想像在這種條件下，當時的作畫者是怎麼完成這些永世不朽的精心傑作。

首先我們來到了第二百二十窟，解說專員要我們特別注意壁畫中的「舞樂圖」，她說很多學音樂學舞蹈的都特別來研究這一幅畫，爲什麼呢？因爲壁畫中展現了多種來自中原、西域以及由外國傳入的樂器，如排簫、腰鼓、箜篌、法螺、拍板、箏……等。（樂隊共有二十八人）還有兩隊舞伎在小圓毯上跳著當時盛行的「胡旋舞」，這一幅畫是敦煌壁畫中規模最大的舞樂圖。

接著來到了第四十五窟，才剛踏進入口處，我的眼睛都還來不及適應石窟內外光線的變化時，雙腿就已經不聽使喚了。走了幾步往前就跪了下去，頭也垂了下去，腦海中傳來的是自己內心的聲音：「對不起！我來晚了！」雖然我並沒有收到任何的回訊，但淚水早已……。一陣子之後，我站了起來，站在一旁的解說員才開始講解（謝謝她等我哭夠了才講解）。

這時候的我才注意到這個窟好小好小，能容人站著參觀的空間，大概最多只能擠著站二十個人。眼前就像是一座小舞台，離地約一公尺高，台上有著與現實生活中一般比例大小的彩塑佛像，中間是尊坐著的佛祖像，南側是站著的阿難、菩薩、天王，北側是迦葉、菩薩、天王，個個神態自若。解說員要我們特別注意阿難的鬍子，天啊！祂的鬍子居然像眞的一樣，還有她要我們看看天王的衣服，祂的衣服閃閃發亮，好奇怪，原來那是顏料裡面加了蛋清的緣故。

最後她說：「請你們到這個位置來看一看，因爲經過後世學者的研究，發現這一窟除了藝術價值極高之外，還有一個非常特殊的現象，那就是在我手指的這個位置跪下來，你會發現台上每一尊佛像的眼睛都正好在注視著你。」各位，就不用我再多加說明了，因爲一進門的時候我就已經做了最佳的示範動作。

我們來到了第一百五十八窟——臥佛窟，哇！好大的一窟，這是我對它的第一個印象，與四十五窟完完全全不同。四十五窟只須平視即可，因爲祂們與我們一般大小，但在這裡卻必須抬頭仰視，因爲祂不但非常巨大而且還居然橫臥在洞窟的正前上方，不多不少，身長十五·八公尺而已。

我慢慢地走到靠近祂胸前的地方，雙手扶著護欄，仰起頭，閉上眼……聲音來了：「你怎麼自己一個人來呢？」啊！那是一種帶著憐惜、不捨而又有些責備的口吻。我伸出了右手讓祂看了看，跟祂打了聲招呼，其他的只有用淚水去解釋了。（眞是的，對祂們而言，「淚水」是最佳的溝通媒介。）是啊！要來之前我很淸楚的知道訊息是要我再邀請另外一個朋友同行的，可是，時間實在是太匆促了，對方根本就來不及準備，我又有什麼辦法呢？錯不在我啊！

睜開了眼，擦乾了淚水，我脫隊了，自己一個人隨意走著，靜靜地從每個角度欣賞祂。這是佛祖涅盤時的臥像，祂的神情早在十多年前就已映在我的腦海裡了，那是一種睡夢般的安詳與寧靜。

出了石窟，我的疑問是，我是在台灣收訊息的，我也不知道莫高窟有那些佛像，爲什麼莫高窟的臥佛知道我在台灣的訊息呢？難道是臥佛遠從敦煌發出訊息給在台灣的我嗎？還是臥佛飛到了台灣再發訊息給我呢？訊息眞的是來自敦煌的祂們嗎？還是是我自己出了問題，心裡有鬼，走火入魔了呢？唉！在祂們面前我還有什麼可以隱瞞的呢？祂們到底是誰呢？我還是我嗎？我瘋了嗎？老天爺啊！誰能告訴我呢？

總覺得好像還有什麼事沒辦完一樣，參觀完了莫高窟，心卻依然懸浮在半空中，缺少了一種踏實感。友人突然開口問道：「請問，水月觀音那一窟有沒有開放呢？」解說員很客氣地答：「對不起，那是在榆林窟。」「啊？什麼意思？」「我們現在參觀的是敦煌的莫高窟，水月觀音是在安西城南的榆林窟的第二窟。」「喔！還有一個榆林窟啊！離這兒多遠呢？」「開車大概要三個多鐘頭。你們要去嗎？」眞的是有夠差勁的了，居然不知道還有個榆林窟。（看倌，您知道嗎？）

好吧！既來之則安之，老遠跑來了，就差這麼一點點路，不去的話似乎太可惜了吧。於是好心的解說員幫我們安排在第二天早上與住在敦煌的榆林窟研究院院長同行（他搭我們的便車）。在此特別向敦煌莫高窟的解說員，以及榆林窟研究院的院長說聲謝謝，有了他們熱心的幫忙，這一趟旅程才從黑白變成彩色。

榆林窟，位於河谷的兩岸，四周圍的環境非常的荒涼，文物的保護措施也差多了，加上位置實在是太偏僻了，交通又不方便，所以遊客相當稀少。在這兒，我們看到了有關於密宗文物的壁畫，朋友也見到了她心儀的水月觀音……。參觀完後，院長請我們在辦公室裡坐一坐，聊一聊。就在談話的時候，祂們來了，來了好多好多，磁場好強好強，強到我不得不很不禮貌地離開座位，走到門外，問問看祂們到底是怎麼一回事。

在這個關鍵的時刻祂們讓我看到了一個數字「18」，還有一個黑色的鐵柵門。我急得問院長：「請問榆林窟有沒有第十八窟？」好心的院長告訴我是有第十八窟，但是裡面什麼東西也沒有，我問他，第十八窟是不是有一個鐵柵門，他說：「有，但是爲了不讓外人進入，我們把它給鎖了起來。」我的心口突然間開始絞痛了起來，好痛好痛……，我用幾乎是央求的口吻問道：「拜託，能不能開給我看看呢？」「當然可以！」

一行三人，解說員、友人還有我，來到了標示著第十八窟的洞窟口，我傻住了，一扇黑色的小鐵柵門隔開了內外，那扇柵門不到一公尺寬，也只有大約一公尺半的高度而已。解說員拿錯了鑰匙，只好回辦公室去換，偏偏第十八窟離辦公室又有一大段距離，看他心急地在山坡上來回跑著，我覺得好抱歉。而站在洞口外的我依然心痛如絞，恨不得把門撞壞衝進去瞧個究竟……。

小鐵柵門，終於被友人打開了，我們兩個人彎下了頭走了進去，發現裡面居然只是一條非常窄小，又黑又暗，而又彎曲的小通道而已，短短的一條通道通到另一個正在整修的大窟。因爲它實在是太窄小了，所以一般人根本就沒有辦法直挺挺地通過的。我好喘，好喘，整個腦袋瓜脹得滿滿的，感覺到在那小小的通道裡，卻擠滿了一大堆「被處罰」的祂們。「鬼哭神號」四個字映上我的眼簾，啊！這裡難道是那個時空的「監獄」嗎？……。

祂們告訴我，一字一句地告訴我：「不要以為我們都很行，我們也會犯錯，我們也一樣會遭受懲罰，孩子！好好修！不要犯錯！」

我明白了，我那麼心急地趕到敦煌，就是爲了趕著上榆林窟第十八窟的這一堂課，祂們讓「受刑人」親自爲我上這寶貴的一課——犯了錯，就得付出代價，就連祂們也沒有任何的例外。帶著沉重的心，我離開了榆林窟、莫高窟，離開了敦煌。相信我，只要有機會，我一定會再來看看祂們的。

回來之後，滿腦子都是沙漠、駱駝……，每晚臨睡前，我總是想像著我是個小嬰孩，好撒嬌好滿足地窩在臥佛的臂彎裡安睡著，夢中我看到臥佛牽著一個三、四歲的小女孩，走在一望無垠的大沙漠上……。

啊！我要告訴全世界的人，我的媽媽是世上最高大的媽媽。

生活視窗27

# 如來的小百合：一個現代通靈者的自述

2001年2月初版　　定價：新臺幣250元
2004年12月初版第二十八刷


著者　伶姬
發行人　林載爵

出版者　聯經出版事業股份有限公司
台北市忠孝東路四段555號
台北發行所地址：台北縣汐止市大同路一段367號
電話：(02)26418661
台北忠孝門市地址：台北市忠孝東路四段561號1-2F
電話：(02)27683708
台北新生門市地址：台北市新生南路三段94號
電話：(02)23620308
台中門市地址：台中市健行路321號
台中分公司電話：(04)22312023
高雄辦事處地址：高雄市成功一路363號B1
電話：(07)2412802
郵政劃撥帳戶第0100559-3號
郵撥電話：26418662
印刷者　世和印製企業有限公司

責任編輯　林芳瑜
校對者　鄭瑛瑤
封面設計　巫麗雪

行政院新聞局出版事業登記證局版臺業字第0130號

本書如有缺頁，破損，倒裝請寄回發行所更換。　ISBN 957-08-2206-6 (平裝)
聯經網址 http://www.linkingbooks.com.tw
信箱 e-mail:linking@udngroup.com

[redacted]

國家圖書館出版品預行編目資料

如來的小百合：一個現代通靈者的自述／伶姬著．--初版．--臺北市：聯經，2001年
278面；14.8×21公分．--（生活視窗；27）
ISBN 957-08-2206-6（平裝）
〔2004年12月初版第二十八刷〕
I．通靈術

296　　90001978